eni

Objetivo: WEB

LinkedIn

Resalte el valor de su perfil para dinamizar su imagen, su comunicación y su red

ISBN: 978-2-409-02963-9
Edición original: 978-2-409-02378-1

Ediciones ENI es una marca comercial registrada de Ediciones Software.

Ediciones ENI

P° Ferrocarriles Catalanes, 97-117, 2a pl. of. 18
08940 - Cornellà de Llobregat (Barcelona)

Tel: 934 246 401
Fax: 934 231 576

e-mail: info@ediciones-eni.com
http://www.ediciones-eni.com

Autor: Marina ROGARD
Edición española: Anna SÁNCHEZ LASIERRA
Colección **Objetivo: Web** dirigida por Corinne HERVO

Su perfil de LinkedIn es mucho más que un *curriculum vitae* (CV) en línea; puede considerarlo un auténtico escaparate profesional donde hacer que destaque su empresa y su carrera, su experiencia, su personalidad y sus habilidades sociales.

Como si se tratase de un portafolio, podrá promover sus servicios a través de los medios, presentar sus experiencias, demostrar sus competencias, facilitar recomendaciones, explicar su recorrido en una historia única; todo enfocado a transmitir una imagen potente, positiva y amistosa... pero ¡aún hay más!

LinkedIn es también una plataforma de comunicación esencial donde sus publicaciones pueden ser leídas por cientos o miles de personas, compartidas a través de sus contactos para propagar su visibilidad y establecerse como un referente en su campo... eso sin contar con los vínculos únicos que forjará con su público y que servirán para apoyar su deseo de hacer más dinámica su presencia.

Los encuentros en esta red son otras tantas oportunidades útiles para su «yo» profesional. Todo le anima a entablar conversaciones y alimentar sus ideas: en torno al contenido, en el seno de los grupos, siguiendo hashtags o incluso influencers, comentando las novedades de otros miembros... LinkedIn abre la puerta a muchos y nuevos horizontes.

Su perfil transmite información esencial a los visitantes, con la condición de que se complemente, cuide y optimice regularmente. Cuanto más atractivo sea, más incitará a los visitantes a averiguar sobre usted y a establecer contacto. Imagínelo como un libro: consiga despertar la curiosidad de la audiencia y cuéntele una historia original e inolvidable.

El potencial relacional que ofrece LinkedIn le seducirá. Para mí, este es el mayor valor agregado de esta red social: las amistades que nacen en ella, los encuentros, los intercambios, el conocimiento. Diariamente, la gente aporta consejos, soluciones, comentarios, buenas prácticas... es un poco como encontrarse en una gran biblioteca de profesionales donde el conocimiento de todos se combina para permitirle avanzar en sus proyectos, sus preferencias y sus decisiones.

LinkedIn también va de emoción, vibraciones, pasiones compartidas en torno a trabajos y compromisos. Es una aventura humana que impulsa a salir de la propia zona de confort, a tener el atrevimiento de comunicarse, de presentarse, de creer en uno mismo, el atrevimiento de ser quien se es.

Cuando llegué a esta red, me sentí muy pequeña. Impresionada. En poco tiempo me di cuenta de que todos pueden y deben hacer oír su voz. Publiqué mi primer artículo con cierta inquietud y esperé los comentarios como una colegiala que acabase de entregar sus deberes. ¡Pero ya había dado el primer paso!

Mi red creció lentamente y, a medida que progresé, obtuve excelentes interacciones y realicé algunos descubrimientos que me ayudaron a crecer profesionalmente, a ser la persona en la que me he convertido hoy.

Espero que este libro le brinde todas las claves para mostrar su mejor perfil y descubrir nuevas oportunidades.

Marina ROGARD

A mis padres, Édouard y Sylviane; a mi hermana pequeña, Mélanie; a mis sobrinas, Lou-Ann y Nina; a Nadia y a Delphine por su apoyo inmenso e infalible.

Prefacio

Capítulo 1
Administre su perfil de LinkedIn

Capítulo 2
Comunicar en la red

Capítulo 3
Desarrolle su red

Capítulo 4
Medir el impacto

Capítulo 1

Administre su perfil de LinkedIn

A. Introducción

Su **perfil** es el punto de partida y de encuentro de todas sus acciones futuras en LinkedIn. Sirve como base para su comunicación y como vínculo a su red. Un perfil completo y optimizado genera valor y consolida su legitimidad. ¿Por qué? Porque su perfil es un marcador de confianza; podrá convencerse de la relevancia de su presencia en la red si este revela plenamente su experiencia, su personalidad, su potencial y sus activos.

Pero, antes que nada, ¡su perfil debe convencerle a usted mismo! Como si se tratase de una prenda, debe sentirse cómodo con ella, cómodo con lo que refleja y con lo que quiere que la gente recuerde de usted. Un perfil está hecho a medida, es original y único, le permite diferenciarse. Territorio a la vez de expresión e impresión, servirá a su marca personal y a su identidad profesional.

Le diríamos que un perfil es el comienzo de una historia. Una historia entre usted y su audiencia. Un puente para intercambios, encuentros, oportunidades. Recordamos a una persona por lo que logra transmitir, lo que despierta, lo que impulsa. Su perfil le dará impulso, la convicción de que tiene algo que decir y que lograr. Vístalo con sus propias palabras, estilícelo con aptitudes, logros, recomendaciones, y verá que ya no se trata de un simple perfil, sino de su mejor aliado para desarrollar su carrera, potenciar su visibilidad y hacer que suene su nombre de una forma u otra.

Bienvenido a LinkedIn. Todo empieza aquí.

B. La página de inicio

La **página de inicio** es específica para su uso, sus costumbres e intereses en LinkedIn; será diferente, por lo tanto, de una cuenta a otra. La información presente se personaliza según cómo use LinkedIn (los *hashtags* a los que se suscribe, por ejemplo, o las personas a las que sigue) y es única. Podemos decir que esta página le ofrece una auténtica visión general de las actividades de cada uno en la red y lo invita a reaccionar tanto como sea posible.

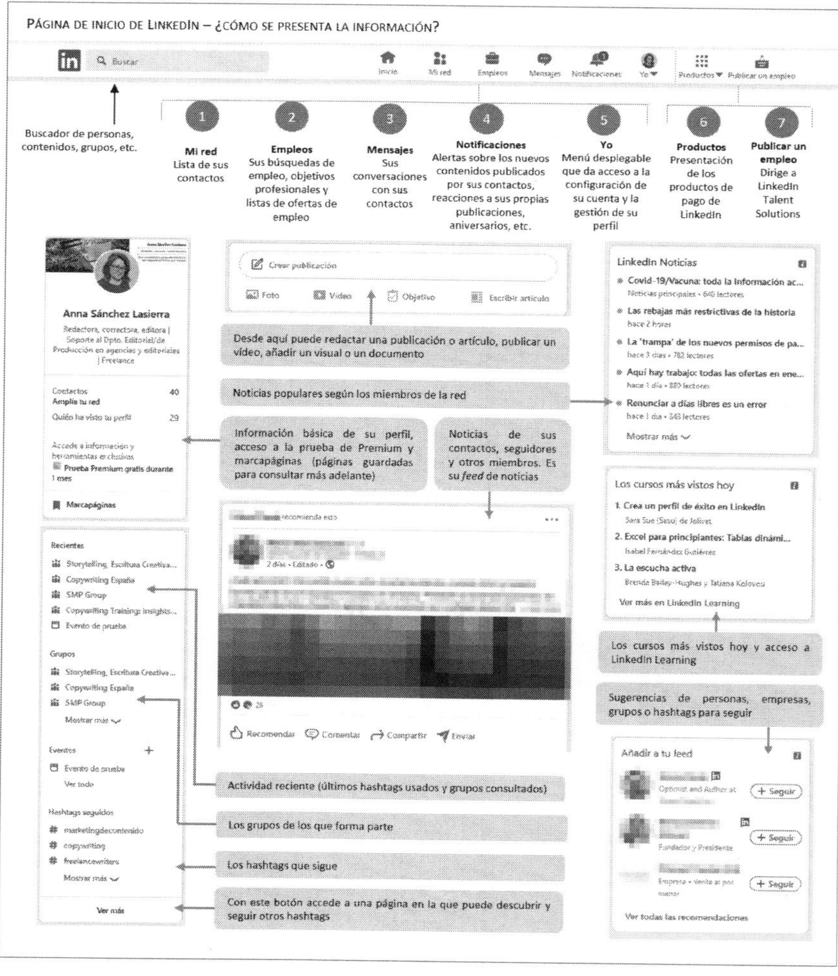

En esta página, podrá publicar su contenido (artículo, publicación, vídeo, elemento visual) y consultar las novedades de los miembros de su red, basadas en sus conexiones de primer grado.

También podrá observar información que le concierne:

- En la columna izquierda: veces que se ha visto su perfil, estadísticas de su última publicación, sus artículos guardados; si es preciso, un espacio para una página empresarial de la que usted sea el administrador, los grupos de los cuales es miembro, los *hashtags* usados recientemente y los *hashtags* que sigue (no todos estos elementos se muestran siempre cuando accede a su página de inicio; LinkedIn varía la información que aparece en función de diversos factores).
- En la columna derecha: información y cursos destacados, seleccionados en función de su popularidad entre los suscriptores, y contenido promocional de LinkedIn .

En la parte superior, una barra de menús que le proporcionará acceso a diversas secciones: **Mi red**, **Empleos**, **Mensajes**, **Notificaciones** y **Yo**, donde puede administrar su perfil (configuración, idioma, página de empresa, etc.), **Productos** (grupos, *insights*, publicidad, etc.) y soluciones profesionales (de pago) que ofrece LinkedIn, así como **LinkedIn Learning**, la plataforma de aprendizaje en línea para los usuarios de la versión Premium.

Cada vez que un miembro se une a su red o envía una solicitud de conexión, cada vez que recibe un mensaje, que alguien comenta sobre los contenidos que usted ha elaborado, aparece un número en el icono en cuestión que indica las notificaciones pendientes.

Puede cambiar la apariencia de esta página siguiendo nuevos *hashtags*, nuevos miembros o incluso administrando la forma en que se presentan los contenidos en su *feed* (clasificación por popularidad o cronológica). De forma predeterminada, su *feed* está configurado para ordenarse por relevancia, lo que significa que los *posts* o noticias que se le presentan primero se seleccionan de acuerdo con su actividad y, por lo tanto, sus preferencias.

✎ He aquí cómo cambiar el orden «de llegada» de los *posts* en su *feed*. Haga clic en la flecha que hay a la derecha del primer post en su *feed* y escoja **Populares** para mostrar los posts por relevancia o **Recientes** para mostrarlos cronológicamente (del más reciente al más antiguo).

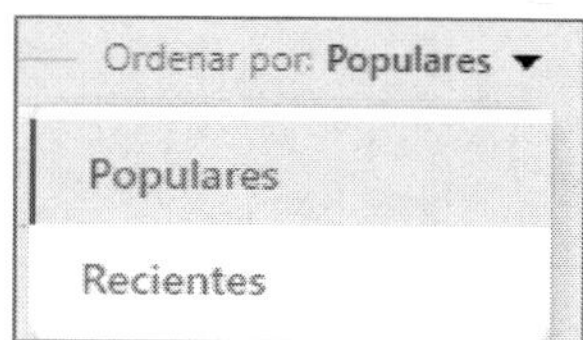

Observe que su *feed* vuelve automáticamente al «modo relevancia» si permanece inactivo durante varias horas.

C. Encabezado del perfil

El encabezado es el elemento más importante de su perfil. Se trata de una señalética que envía un mensaje potente a sus visitantes y abre las primeras puertas de su universo profesional. Es preciso, por tanto, optimizarlo para que resulte atractivo y se salga de lo habitual.

1. Banner

Por defecto, LinkedIn le atribuye un banner con este tipo de fondo:

El hecho de personalizarlo le permite dotar de un aspecto cuidado a su perfil y desmarcarse de su competencia. Por lo tanto, ¡no lo «vista» con la primera imagen que encuentre!

¿Cómo realizar la elección correcta?

- Añadiendo una fotografía vinculada con su actividad, sus productos, sus servicios, su misión, su proyecto... que refleje el cargo que ocupa, que mejor le describa como profesional o que le represente en un contexto de trabajo.
- Completándola con un logo, un eslogan, el nombre de su empresa o incluso con su información de contacto.

Asegúrese de no sobrecargar este banner con demasiados colores o información que pueda confundir a los visitantes.

Este banner resume y refuerza visualmente su identidad profesional. Debe representarlo a usted con fidelidad y transmitir valores que para usted sean importantes si desea asegurar su credibilidad. Es una gran oportunidad para despertar el interés de los visitantes y promocionar su marca personal.

Las imágenes son como la música de las palabras, el perfume de su personalidad, que deja una huella en la memoria de sus interlocutores. Con frecuencia es la primera impresión, la evocación en el alma de sus interlocutores, lo que hace que usted se vuelva memorable. Figurativas o conceptuales, elíjalas o créelas con cuidado.

Las imágenes definen su identidad, aquello que hace que usted sea inmediatamente reconocible y único.

Nadia Seksaf-Latouche, ilustradora visual y directora de imágenes (https://www.linkedin.com/in/iconographismes/ [en francés]).

Ejemplo de banner personalizado

Una vez colocado su banner, hágase LA pregunta esencial: «¿De verdad esta imagen me representa profesionalmente?».

Para ayudar a su inspiración, puede resultarle útil la herramienta de creación Canva (https://www.canva.com/es_es/crear/banners/linkedin/). Si busca imágenes, utilice bancos de imágenes gratuitas, como Pexels (https://www.pexels.com/es-es), Pixabay (https://pixabay.com/) o Unsplash (https://unsplash.com/), y no las que pueden encontrarse en Google, protegidas por derechos de autor.

Le recomiendo que verifique el resultado en su ordenador y en su teléfono inteligente para realizar ajustes; de hecho, LinkedIn realiza actualizaciones periódicas. Recientemente, la imagen de perfil aparecía en medio en la versión móvil y a la izquierda en la versión de escritorio. Desde agosto de 2019, las dos versiones son idénticas y muestran la foto alineada a la izquierda.

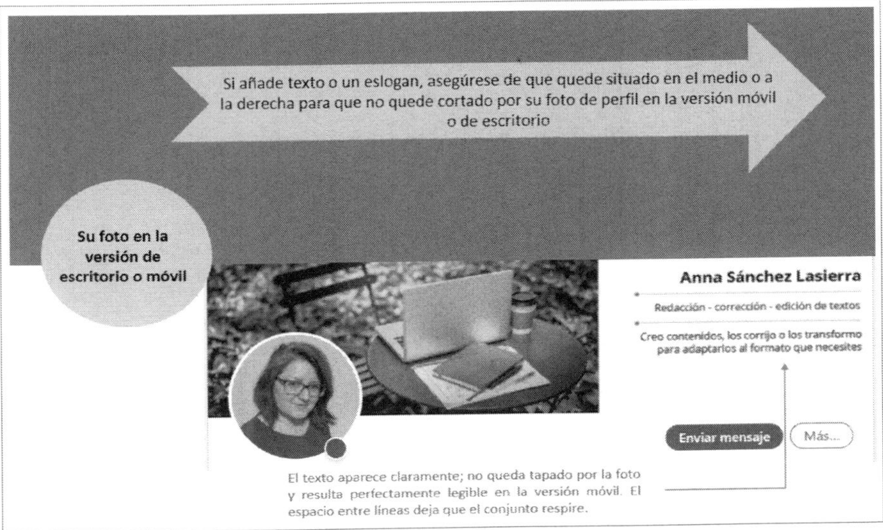

- Para editar su banner, vaya a su perfil y haga clic en el icono ✎, justo al lado del botón **Más**.

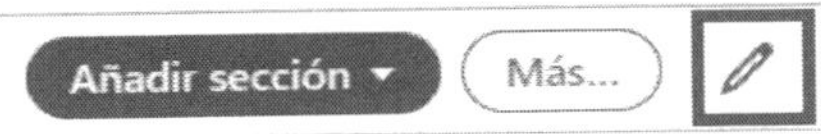

- Haga clic otra vez en este icono ✎, situado en la esquina superior derecha del banner. Se abre automáticamente una ventana para que pueda seleccionar una de las imágenes que haya guardado previamente en su ordenador.

✎ Una vez colocada la imagen en su sitio, puede realizar algunos ajustes si lo considera necesario, como la aplicación de filtros simples o de efectos más avanzados.

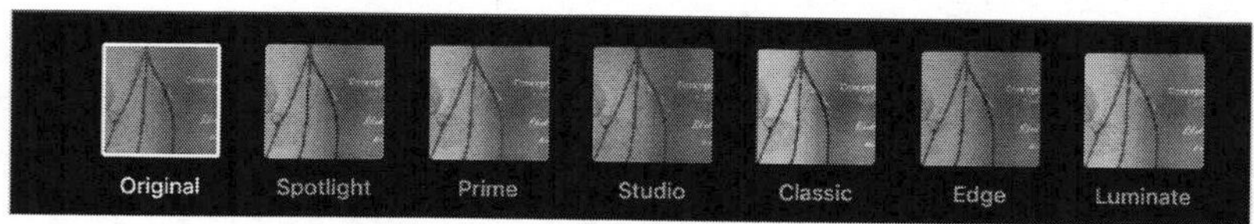

Filtros

Efectos

2. Foto

Situada justo debajo del banner, esta foto es la segunda información que presenta a los visitantes. Se trata, por lo tanto, de inspirar confianza y hacer que quieran conocerle. Un perfil sin foto genera desconfianza y no permite que sus clientes (o posibles clientes) pongan rostro a su nombre. Esta foto le da a su perfil una personalidad tras la identidad, le otorga humanidad o, como diría Véronique Durruty, fotógrafa, «un retrato es una imagen que cuenta una realidad de la persona fotografiada».

Un perfil con fotografía se consulta 21 veces más; recibe 9 veces más solicitudes de conexión y 36 veces más mensajes.

(fuente: https://blog.linkedin.com/2017/march/14/linkedin-profile-photo-tips-introducing-photo-filters-and-editing?trk=li__namer_bcs_alwayson18_blog_profile_photo&utm_campaign=alwayson18&utm_medium=blog&utm_source=blog&utm_content=profile_photo)

Para que sea eficaz, su foto debe ser acogedora. Adopte una postura abierta, que transmite calidez, dinamismo y naturalidad. Dé prioridad a un formato de tipo retrato (cara y hombros), en el cual su rostro debe cubrir por lo menos el 60 % del espacio. La imagen deberá estar bien encuadrada y mostrar un fondo neutro (blanco, blanco roto, gris claro, negro, azul) para no alterar la visión del elemento principal, es decir, USTED. Decántese por un maquillaje discreto y no utilice ningún accesorio superfluo, como gafas de sol o sombreros.

Preste una atención especial a la iluminación, preferiblemente con luz del día, para obtener un aspecto más natural y auténtico.

Elija una foto reciente que le represente tal y como es ahora y en la que aparezca usted solo. Asimismo, su vestimenta debe estar acorde con su actividad, reflejar lo mejor posible los valores de su empresa y tender a la sobriedad.

He aquí algunos ejemplos de fotos adecuadas:

Y algunos ejemplos de fotos que resultan poco adecuadas:

Evite las *selfies*, las fotos de vacaciones, los avatares, y no abuse de los filtros de retoque que cambian por completo el tono de la imagen.

Finalmente, recuerde que profesionalidad no rima necesariamente con severidad. Una sonrisa será un activo importante para desencadenar el factor de simpatía del público.

La sonrisa es el instituto de belleza del rostro.

Robert Sabatier

---

3. Titular

En la versión inglesa de LinkedIn, el titular recibe el nombre de «headline», que puede traducirse como «título principal», un término que nos remite al vocabulario periodístico. El **titular** es, de algún modo, el título de mayor tamaño, el que invita a la lectura de su extracto; se trata, por lo tanto, de una ubicación estratégica, ya que es la primera información profesional que un visitante descubrirá sobre usted.

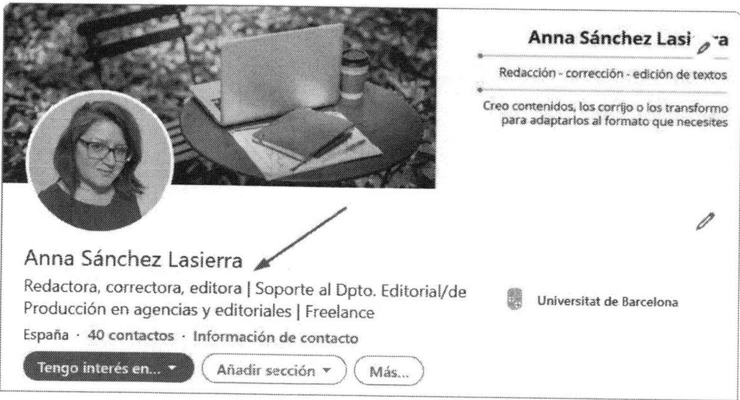

Nos gustaría recordarle que este titular estará constantemente presente debajo de su nombre cada vez que haga un comentario, por lo que es importante que se sienta cómodo con lo que transmite.

a. Su función

El titular está compuesto por palabras clave que los técnicos de selección, empresas o clientes utilizan para buscar perfiles según criterios muy específicos: puede incluir el área en la que es experto, una aptitud o un sector de actividad. El objetivo es, pues, abrir el camino a su perfil eligiendo palabras clave específicas que se correspondan con las que se escribirán en el buscador de LinkedIn para encontrarle a usted.

Podríamos decir que su titular corresponde a un panel de dirección en una carretera: las indicaciones que coloca en él permiten que su público objetivo llegue a su destino, es decir, a su perfil. Como cualquier panel de dirección, su título debe ser claro y ayudar a comprender qué hace o qué ofrece. Esto significa que un titular nunca debe ser engañoso.

b. Sus características

Dispone de 120 caracteres (espacios incluidos) para personalizar este titular y resaltar el profesional que es usted. Un titular eficaz indica lo que hace o lo que ofrece (su función o su misión) y su propuesta de valor (qué solución o conocimiento experto aporta). Es gracias a esta propuesta de valor como podrá diferenciarse y hacerse único.

Un buen titular debe ser comprensible para todo el mundo, directo y honesto (¡no prometa lo que no es!).

He aquí una plantilla que le puede servir de base:

1. Titular con cargo + palabras clave (1 o 2) (aptitudes o sector) + cómo ayudo a mis clientes a hacer/resolver X.

O

2. Titular con cargo + cómo ayudo a mis clientes a hacer/resolver X.

Concretamente, esto daría:

1. Diseñador gráfico | Marketing & Publicidad | Ayudo a las empresas a añadir valor a su imagen de marca

O

2. Diseñador gráfico | Ayudo a las empresas a añadir valor a su imagen de marca

Por defecto, LinkedIn le asigna un titular con su cargo actual. Si lo deja como está, le resultará muy difícil destacar entre la multitud de perfiles similares al suyo.

A continuación le ofrecemos algunos ejemplos para que se haga una idea más precisa de cómo puede hacer que este titular resulte más atractivo sin penalizar su relevancia:

- Asistente de dirección | Servicios Jurídicos | Experto en Office y en la organización de viajes de negocios (104 caracteres).
- Community Manager | Optimizo la presencia digital y la comunicación de su empresa (81 caracteres).
- Jefe de proyectos en eventos | Especialista en Team Building & Diseño de formación a medida (91 caracteres).

Veamos algunos casos más:

- Si está buscando empleo, no indique, por ejemplo, «en búsqueda activa de empleo». Por una parte, nadie introduce estos términos en el buscador y, por otra, no aporta valor a su perfil.

  En un caso así, le proponemos dos soluciones:

  Consigne su trabajo «habitual» y utilice la línea introductoria de su extracto para destacar y mostrar su motivación desde el principio con una frase del tipo «Listo para afrontar nuevos retos (con una sonrisa ¡y buen humor!) en una agencia de comunicación».

  Si desea mantener a toda costa en el titular que está buscando trabajo, pruebe con esta alternativa: «Diseñador gráfico | Ayudo a las empresas a resaltar su imagen de marca | En búsqueda activa de trabajo con contrato» (109 caracteres).
- Supongamos que es un directivo y que escribe «directivo de la empresa XXX»; tenga en cuenta que nadie busca «directivo de la empresa X», sino la experiencia que puede aportar o la solución que ofrece. Los visitantes sabrán que usted es directivo de esa empresa si ha completado su experiencia actual. En ese caso, en el banner situado arriba y a la derecha, aparecerán el nombre y el logo de su empresa.

  "Especialista en Personal Branding | Le ayudo a mejorar su posicionamiento profesional y su visibilidad" (99 caracteres).

Comience siempre su titular con el término genérico de su oficio y luego separe sus distintos elementos con espacios o barras verticales para facilitar la lectura. Recuerde también que, cuanto más simple, más claro. Originalidad, sí; pero el titular no debe ser un espacio creativo que los juegos de palabras, neologismos o tipografías especiales hagan simplemente incomprensible.

c. Personalizar el titular

Siga estas cuatro etapas para encontrar las palabras clave correctas de su titular:

- Observe las ofertas de empleo de su sector y anote cuáles son las palabras clave más utilizadas para puestos similares al suyo. Por ejemplo, en el ámbito de la redacción, puede encontrar redactor SEO, redactor web, redactor creativo, copywriter, etc.
- Realice una búsqueda en el motor de LinkedIn con su titular para ver cómo destaca; tenga en cuenta que no obtendrá los mismos resultados si se presenta para la misma profesión en femenino o en masculino; por ejemplo: diseñador gráfico, diseñadora gráfica. En la mayoría de los casos, desafortunadamente, los usuarios no escribirán las palabras clave en femenino; depende de usted elegir lo que prefiera.
- Eche un vistazo a los perfiles: ¿cuáles son las palabras clave que utilizan sus competidores?
- Consulte las estadísticas de visualización de su perfil, ya que de aquí puede obtener información importante: ¿cómo le han encontrado?, es decir, ¿con qué palabras clave principales? Si los resultados no le parecen adecuados, considere la posibilidad de trabajar más su titular para mejorarlo.

✎ Desde su perfil, en su panel, haga clic en la zona **apariciones en búsquedas**.

Tras el nombre de las empresas y los cargos de quienes le buscan, podrá consultar con qué palabras clave le han encontrado los que han efectuado la búsqueda (solo para usuarios Premium).

✎ Al agregar una nueva experiencia laboral, asegúrese de desmarcar la casilla **Actualizar mi titular** para que su titular actual no se sobrescriba cada vez que agregue un nuevo trabajo en su historial.

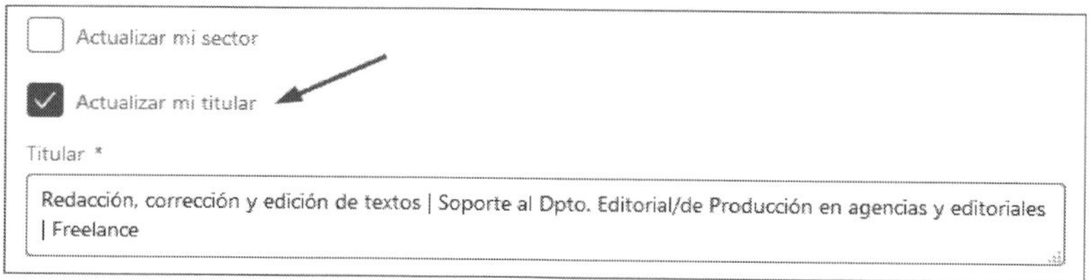

Errores que debe evitar en su titular:

- La jerga propia de su sector; las abreviaturas; las MAYÚSCULAS, que HACEN DAÑO a los ojos de sus lectores.
- Los términos que no indican su especialidad ni añaden valor a su perfil, como «supermujer», «superman», «maestro Jedi», etc., a menos que vayan acompañados de palabras clave específicas antes o después; pero aun en este último caso le aconsejaría que prescindiera de ellos.
- Las faltas de ortografía, ya que le restan credibilidad y no optimizan su indexación.
- Los hashtags, ya que dificultan visualmente la lectura; es más adecuado que los ubique en su extracto.

Preste atención a los emoticonos y a las fuentes especiales: utilícelos con moderación. Tenga presente que, cuando el algoritmo «tropieza» con ellos, pueden ocasionar perturbaciones en este que alteren su clasificación en el buscador.

Por último, no introduzca aquí su número de teléfono, su dirección de correo electrónico ni un enlace a ningún sitio; no es para esto para lo que sirve su titular.

4. Extracto (o «Acerca de»)

El extracto (resumen o «Acerca de») es el área más importante del perfil de LinkedIn. A menudo lo comparo con la contraportada de un libro porque su función es seducir rápidamente al lector y convencerlo, en unas pocas líneas, de que quiere saber más sobre usted y su mundo profesional. ¿Es, pues, el extracto una invitación? ¡Sin duda alguna, sí, lo es!

Una contracubierta debe crear el deseo: ese es su primer objetivo.

Karina Hocine, directora literaria de ediciones Lattès

Esta es una oportunidad real para destacarse de otros perfiles contando una historia: la historia de una trayectoria, un recorrido, una misión y una personalidad. Este conjunto constituye el inicio de su novela profesional; debería hacer que los visitantes deseen hojear su experiencia, sus aptitudes, sus recomendaciones... debería despertar la curiosidad de estos a medida que recorren su perfil. Pero la cosa no termina ahí: ¡su extracto también debería desencadenar la acción!, es decir, animar a estos visitantes a unirse a su red, a proponerle una oportunidad profesional, a solicitar su *expertise* para un proyecto, etc. Volvemos a la idea de la contraportada, que despierta en el lector el ansia por aprender más, echar un vistazo a las primeras páginas y materializar su interés con una compra. ¡El extracto está ahí para servir a sus intereses!

Personalmente, es la parte que yo prefiero. ¡Hay tantas cosas por descubrir de usted, detrás de las palabras!

a. Características

Un extracto eficaz debe mostrar:

- Qué es lo que hace, por qué o con qué objeto.
- Qué lo hace a usted único, sus especialidades, sus aptitudes, su método.
- Qué soluciones puede brindarle a su público objetivo (técnico de selección, cliente potencial o real, etc.) y cómo puede ayudarlo.
- Sus proyectos paralelos, sus pasiones, sus compromisos, sus motivaciones.

El comienzo de su extracto es lo más importante, ya que solo las primeras líneas aparecen en la versión móvil y de escritorio. Es preciso hacer clic en el botón **ver más** para descubrir el resto.

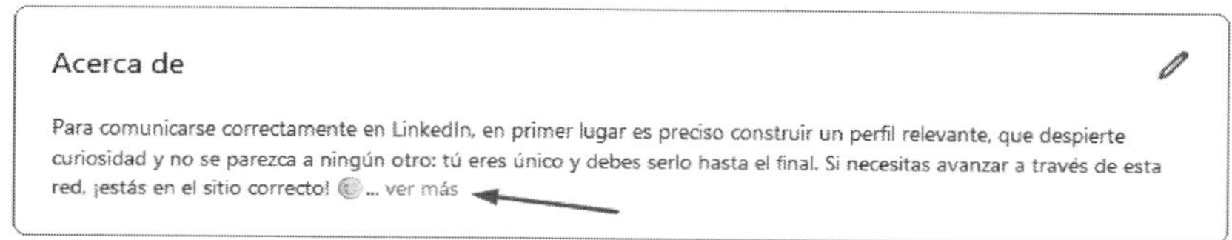

¡Debe interpelar al visitante desde el principio! Para ello, puede idear un reclamo en forma de:

- una cita (a condición de que controle bien su sentido y que esté en línea con su trabajo o sus valores profesionales),
- un eslogan o una frase simple, original e impactante.

b. Algunas reglas de oro

Escriba su extracto en primera persona, ya que se trata de plasmar su historia profesional y de crear un vínculo estrecho con los visitantes. Si lo redacta en tercera persona, claramente está poniendo distancia entre usted y ellos, cuando para lo que sirve el extracto es para inspirar confianza y tender la mano a su público.

Esta historia debe parecerse completamente a usted, revelar cómo es y, por supuesto, ser auténtica. No dude en agregar ese no-sé-qué que lo hace único, esa faceta de su personalidad por la que resulta atractivo y que lo impulsa. Depende de usted que el lector de su perfil pueda decirse a sí mismo: «Necesito conocer a esta persona».

Cada hombre es una historia... y no hay dos historias idénticas.

Alexis Carrel

Es fundamental que este extracto esté bien redactado, con frases sencillas, claras y que no sean demasiado largas. Hágase dos preguntas esenciales:

- ¿Cuáles son las cosas más importantes que los visitantes deben comprender sobre usted?
- ¿Con qué impresión o percepción de usted desea que se queden?

No olvide que su extracto es su marca personal. Elija cuidadosamente la información y los elementos que deben aparecer en él. Y, sobre todo, léalo varias veces: las faltas de ortografía pueden dañar su credibilidad.

El extracto no es estático, sino que evoluciona. Se modela y pule al hilo de sus experiencias, de sus proyectos, de los cambios en las ofertas que recibe. No dude en retomarlo cuando le parezca que se ha alejado de su historia actual o de sus nuevas aspiraciones.

No olvide agregar, al final del extracto, enlaces a su sitio, su blog, su portafolio u otros documentos para aportar concreción a sus logros y permitir que los interesados descubran un poco más. También puede proporcionar su correo electrónico y su teléfono si desea una reacción rápida.

Tome nota:

- Dispone de 2000 palabras para construirlo.
- Limite su extensión a entre tres y cinco párrafos.
- Utilice viñetas para facilitar la legibilidad y también títulos de sección, como por ejemplo «mis objetivos», «cómo puedo apoyarle», «lo que me apasiona», «lo que me impulsa», etc.
- «Airee» el conjunto (debe respirar, visualmente hablando).

c. Ejemplos concretos de extractos

- *¿Qué hacer si tiene poca experiencia laboral?* Apueste por su talento (o talentos), los logros individuales; hable de sus experiencias en el extranjero con las gentes del país, de su blog, de las asociaciones o clubes a los que pertenece; en definitiva, de todo aquello que pone de relieve su potencial relacional o humano.
- *¿Qué hacer si está buscando un nuevo empleo?* Explique los momentos clave de su recorrido, los valores con los que se siente identificado, aquello que busca y por lo que tiene una motivación ilimitada.
- *¿Qué hacer si está en proceso de reconversión?* Explique por qué siente la necesidad de cambiar de carrera, qué es lo que ha aprendido durante este período y qué puede ofrecer.

Le presentamos un ejemplo de extracto para mostrarle con más claridad lo que puede brindar:

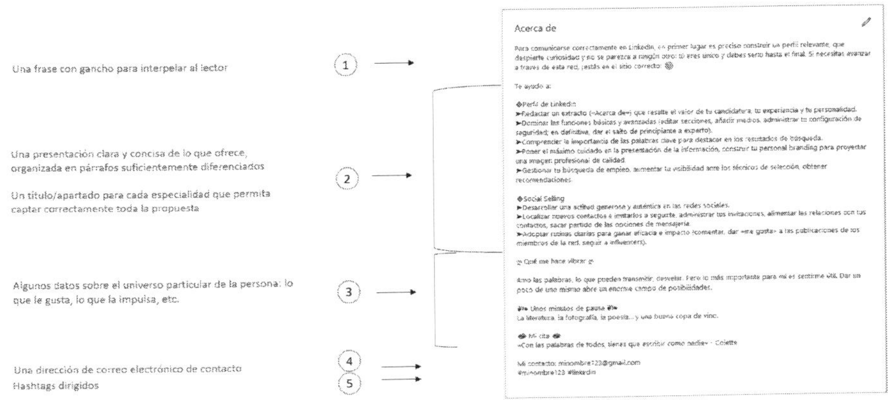

5. Experiencia profesional

Esta sección es muy similar a la de un curriculum vitae, ya que describe su trayectoria profesional, desde su puesto actual hasta los que lo precedieron.

Para dar mayor valor a su experiencia, asegúrese de presentar de forma detallada las funciones que ha desempeñado, sus tareas, los proyectos de los que se ha encargado, sin olvidar mencionar sus logros (resultados obtenidos, objetivos, cifras).

Recuerde utilizar listas con viñetas para que la lectura resulte agradable e ilustre cada una de sus tareas, en la medida de lo posible, con contenido como vídeos, presentaciones en PowerPoint, artículos, enlaces a un sitio/blog, etc. El logo de la compañía se añade automáticamente si esta dispone de una página de empresa en LinkedIn.

El hecho de agregar multimedia y documentos útiles (certificaciones obtenidas, por ejemplo, en el contexto de la capacitación brindada por la empresa) refuerza y da credibilidad a su *expertise*; la enriquece con información concreta y permite a un técnico de selección o un cliente interesado en sus servicios ver confirmada su elección.

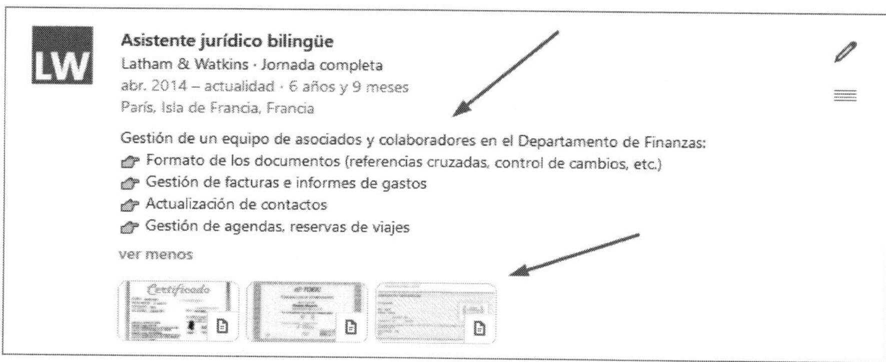

Agregar sus 2 experiencias más recientes proporciona 12 veces más posibilidades de ser encontrado por un técnico de selección o una empresa

(fuente: https://blog.linkedin.com/2012/02/14/profile-completeness)

Asegúrese de que pone fecha a su experiencia y de modificar su titular si es necesario. Nada le resulta más frustrante a un técnico de selección que leer fechas incompletas o descubrir que el titular con el que se presenta no tiene nada que ver con su experiencia actual. Tenga cuidado con esto.

En cuanto a las funciones que debe conocer en relación con la sección **Experiencia**:

- El botón + le permite insertar una nueva experiencia.
- El botón ✎ le permite modificar la experiencia.
- El botón ≡ le permite organizar su experiencia modificando el orden de aparición, especialmente si tiene dos experiencias en curso y quiere valorar una más que otra.

Si no desea que sus cambios de puesto se notifiquen a su red, desactive este botón.

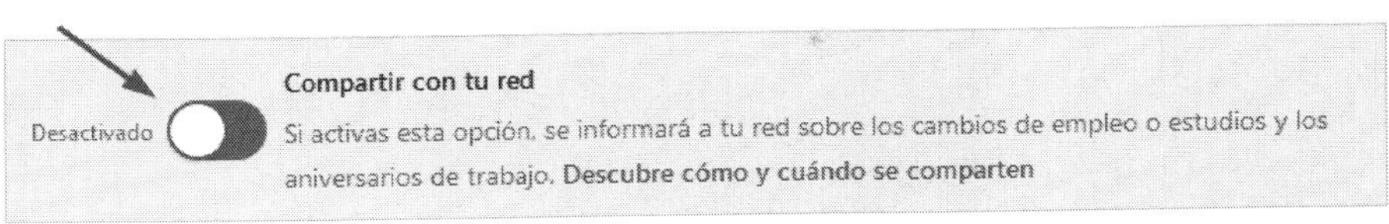

6. Formación

La sección **Formación** le permite dar relieve a su recorrido formativo. Deben completarse diversos campos:

- La escuela superior o Universidad a la que ha asistido.
- El título del diploma.
- El campo de sus estudios.
- Las fechas de comienzo y fin.
- El resultado obtenido.
- Las actividades extracurriculares.
- Una descripción (útil, por ejemplo, para hacer que consten los proyectos de los que se ha encargado).

Dos puntos importantes:

- Tiene la posibilidad de añadir contenido multimedia en este apartado (documentos, enlaces a sitios, vídeos y presentaciones externas): un auténtico *plus* para hablar de un proyecto universitario o misión que llevó a cabo durante sus estudios.
- Cuando mencione su escuela, verá que aparece su logo, a no ser que no esté presente en LinkedIn. Al hacer clic en el nombre de la institución, se le dirigirá a su página específica y podrá ver las conexiones en su red que han recibido educación en la misma institución. También es ideal para encontrar viejos camaradas y ponerse en contacto con ellos mencionándolos.

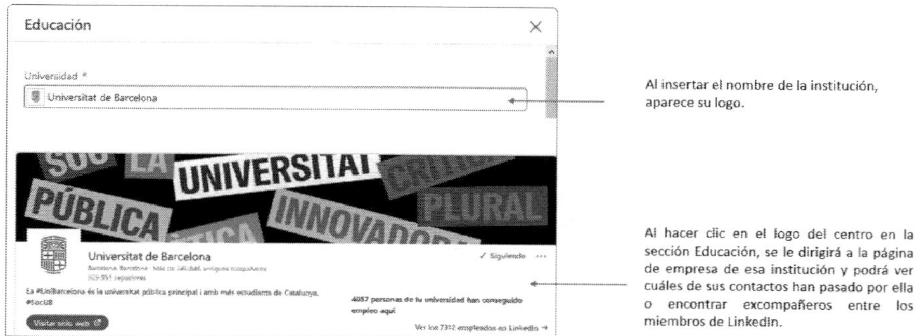

En cuanto a cursos y formación corta, es mejor utilizar la sección Licencias y certificaciones.

7. Licencias y certificaciones

Este apartado le permite poner de relieve todos los cursos de formación que ha realizado, incluso a los más cortos. También es una excelente manera de resaltar sus conocimientos, demostrar que se mantiene actualizado y de resultar más atractivo gracias a las habilidades que aprende. Se trata de una sección realmente útil, ya que puede agregar los cursos realizados en línea (como los MOOC) y los de la plataforma de aprendizaje de LinkedIn (para personas con una suscripción Premium: ¡la certificación se agrega directamente a su perfil al finalizar el curso!)

Los perfiles de los miembros de LinkedIn que añaden certificados reciben 6 veces más vistas

(fuente: https://blog.linkedin.com/2014/11/20/showcase-your-professional-certifications-on-linkedin-in-one-click)

- Complete los diversos campos, como el nombre de la certificación, el organismo emisor (cuyo logo se muestra junto a la certificación en su perfil), la fecha de emisión y expiración, la identificación del diploma (que aparece al final de la URL del certificado o en el propio certificado) y la URL de los identificadores.

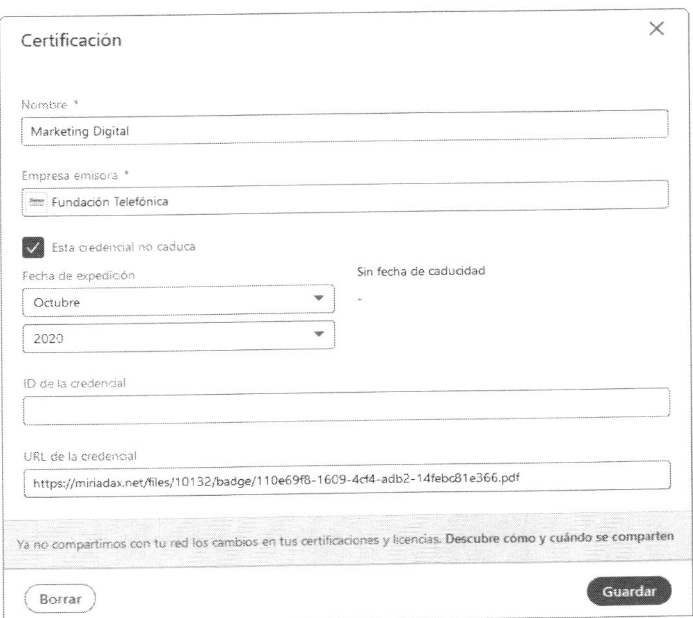

8. Experiencia de voluntariado

Las experiencias de voluntariado son una ventaja añadida a su perfil, ya que le permiten exponer sus intereses por una causa, los compromisos a los que se siente emocionalmente apegado, y presentar una nueva faceta de su identidad con actividades filantrópicas.

Esta sección es una forma de demostrar que es una persona comprometida y que su talento o su pasión sirve a sus aspiraciones. Un estudio realizado por LinkedIn en 2011 indicó que el 41 % de los miembros encuestados consideraba que la experiencia en voluntariado era tan importante como la experiencia retribuida (fuente: https://blog.linkedin.com/2013/09/04/more-than-just-a-resume-share-your-volunteer-aspirations-on-your-linkedin-profile)

- Vaya a su perfil y haga clic en el botón **Añadir sección**. En el menú desplegable que aparece, debajo de **Trayectoria profesional y académica**, haga clic en el botón + de la opción **Experiencia de voluntariado** y podrá saltar directamente a la sección correspondiente.

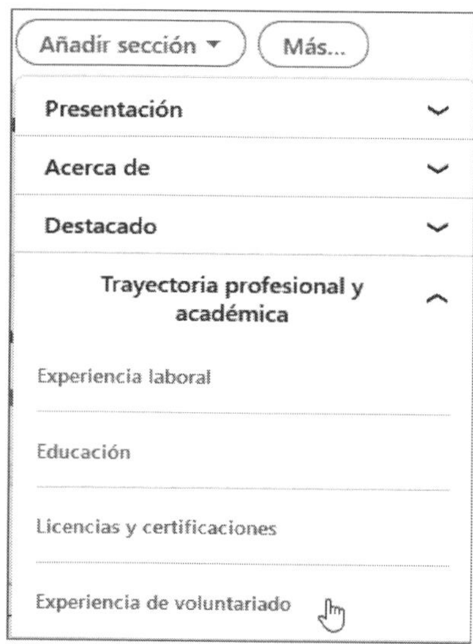

- Complete el nombre de la organización (si está presente en LinkedIn, se mostrará el logo automáticamente), su función, la causa (humanitaria, animalista, política, etc.), fecha de inicio y de fin, así como una descripción si desea presentar su cometido.

9. Aptitudes y recomendaciones

La sección **Aptitudes** es un gran activo, especialmente si utiliza la plataforma para postularse a un trabajo (versión Premium). Su perfil pasa por el algoritmo de LinkedIn, que lo clasifica y enumera cuáles de sus aptitudes lo convierten en el mejor candidato para el puesto.

Del mismo modo, los técnicos de selección, a través de su versión LinkedIn Recruiter, se apoyan en las aptitudes cuando efectúan una búsqueda por palabras clave y áreas de especialización. Si no completa esta sección, corre el riesgo de perder oportunidades.

Añadir como mínimo 5 aptitudes hace que su perfil consiga más de 17 veces más visualizaciones.

(fuente: https://blog.linkedin.com/2018/january/9/tuesday-tip-stand-out-by-flexing-your-skills-on-your-linkedin-profile)

Puede incluir hasta 50 aptitudes; elija las más relevantes, aquellas que realmente aportan valor a sus habilidades profesionales y sociales. Están clasificadas en seis categorías: **Aptitudes principales**, **Conocimiento del sector**, **Herramientas y tecnologías**, **Aptitudes interpersonales**, **Idiomas y otras aptitudes**.

Asegúrese de que las selecciona, ya que solo aparecerán las tres primeras (versión móvil y de escritorio); tendrá que hacer clic en el botón **Mostrar más** para mostrar el resto.

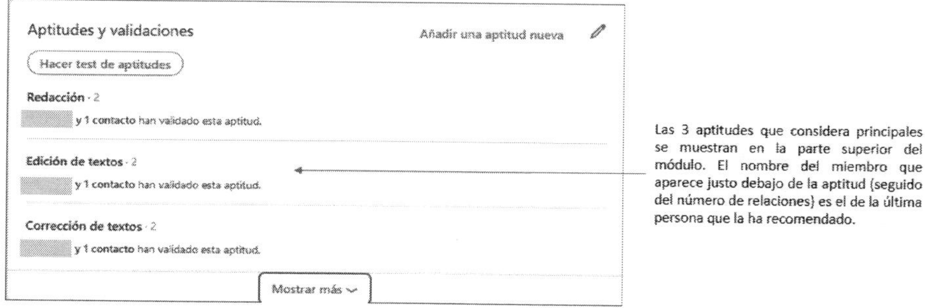

- También puede reorganizar el orden de aparición si considera que algunas pueden ser más relevantes que otras.
- Haga clic en el icono para seleccionar las tres aptitudes que aparecerán en la parte superior de la sección.
- Haga clic en el icono para mover las aptitudes según el orden que desee y en el icono para eliminar una aptitud.

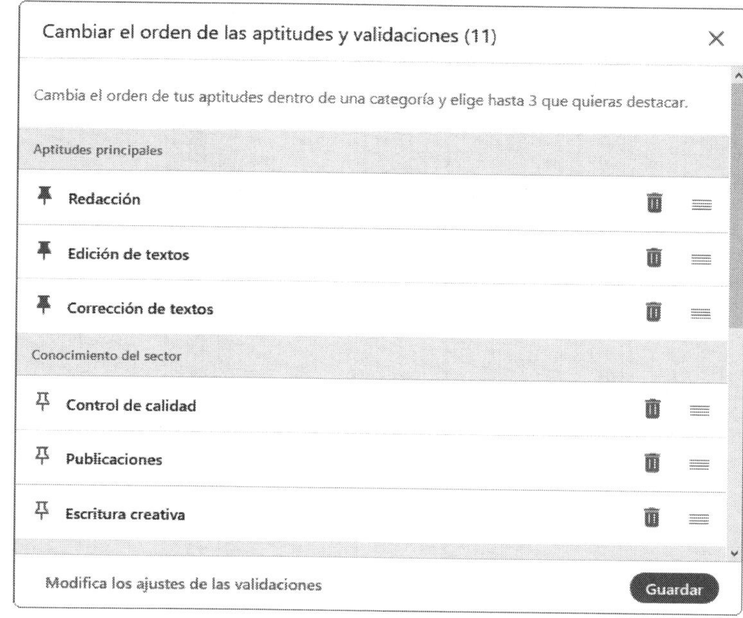

- Si una persona valida una aptitud que no le parece justificada, puede ocultar su nombre en lo que respecta a esa competencia. En este caso, su validación se descontará del número total.

- Finalmente, en función de su perfil, LinkedIn le sugerirá aptitudes que puede añadir.

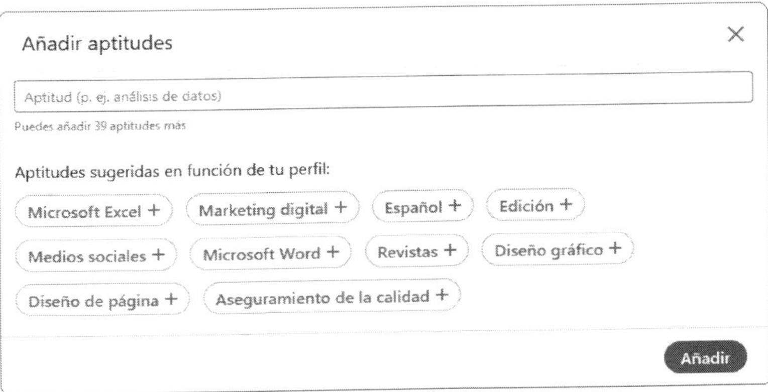

Elimine las palabras clave obsoletas y las expresiones que en su momento estuvieron en boga, pero que ahora están pasadas de moda. Aquí puede encontrar 8 de las que LinkedIn tiene en baja consideración (https://learning.linkedin.com/blog/advancing-your-career/the-10-words-you-absolutely-shouldnt-put-in-your-linkedin-profil): creativo/a, apasionado/a, motivado/a, organizado/a, vasta experiencia, responsable, experto/a, orientado/a a resultados, etc.

Sus aptitudes pueden ser validadas por sus contactos de primer nivel; recibirá una notificación tan pronto como sea el caso.

Imagine un técnico de selección o un futuro cliente que visita su perfil. Si ve que sus compañeros han validado algunas de sus aptitudes, se sentirá más cómodo con la decisión de recurrir a usted. Esto emite una poderosa señal sobre sus niveles de *expertise* en su campo.

Por el contrario, si algunas de sus aptitudes no están validadas, puede ser necesario que las retire, simplemente porque no le aportan ningún beneficio e incluso pueden crear cierta confusión entre los visitantes. O, peor aún: ¡su perfil no está optimizado para que lo descubran por sus aptitudes clave!

10. Recomendaciones

Las recomendaciones ayudan a reforzar la relevancia de su experiencia profesional, su reputación y su imagen de marca. Para los técnicos de selección o las empresas, estas recomendaciones dan crédito a sus aptitudes y pueden influir poderosamente en su elección. En efecto: si al leer una recomendación descubren una cualidad, una actitud, un saber hacer que corresponde a lo que están buscando, usted gana puntos y se atribuye su confianza.

Usted mismo, cuando busca un restaurante o un hotel, ¿no rastrea las recomendaciones de los establecimientos a la búsqueda de las que son positivas? Imagínese, pues, el impacto positivo en su perfil y la credibilidad que gana con dichas recomendaciones.

¿Cómo solicitarlas? A continuación presentamos dos ejemplos en los que puede inspirarse (y que deberá adaptar a su caso, por supuesto):

«Hola, X: espero que estés bien. Ahora que ha finalizado colaboración en el proyecto X, ¿sería posible que escribieras una recomendación que yo pudiera añadir a mi perfil de LinkedIn? Gracias por tu apoyo. Cordialmente».

O

«Apreciado X: ante todo, quiero darle las gracias por haber confiado en mí para colaborar en el proyecto X. Por mi parte, ha sido un placer trabajar para (nombre de la empresa). ¿Sería posible que redactase una recomendación que avalase mis aptitudes en XXX? Me resultaría de gran ayuda para dar más valor a mi perfil de LinkedIn. Si es de su interés, yo también podría redactarle una. Quedo atento a su respuesta. Un saludo cordial».

¿A quién pedírselas?

Solicite recomendaciones solo a las personas con las que haya trabajado estrechamente y que puedan dar fe del valor de sus aptitudes y su trabajo: antiguos y actuales colegas, *managers*, clientes, socios, profesores, sus «pares».

Por supuesto, no dude en recomendar a personas de su red, pero no lo haga porque sí. Recuerde que su recomendación se adjuntará a un perfil y será visible para todos. No redacte una recomendación si cree que puede perjudicarle.

- Para solicitar una recomendación, vaya al perfil de la persona y, al lado del botón **Enviar mensaje**, haga clic en **Más**. En el menú desplegable, seleccione **Solicita una recomendación**.
- Indique el nivel de **Relación** seleccionándolo en el menú desplegable: compañero, cliente, profesor, supervisor, etc.
- Indique, en el campo **Cargo en ese momento**, el cargo que ocupaba; se seleccionará en la lista con la experiencia que habrá completado en esta sección específica de su perfil.
- En el área para redactar el cuerpo de texto, introduzca unas palabras personalizadas que retomen el contexto de la colaboración y haga clic en **Enviar**.

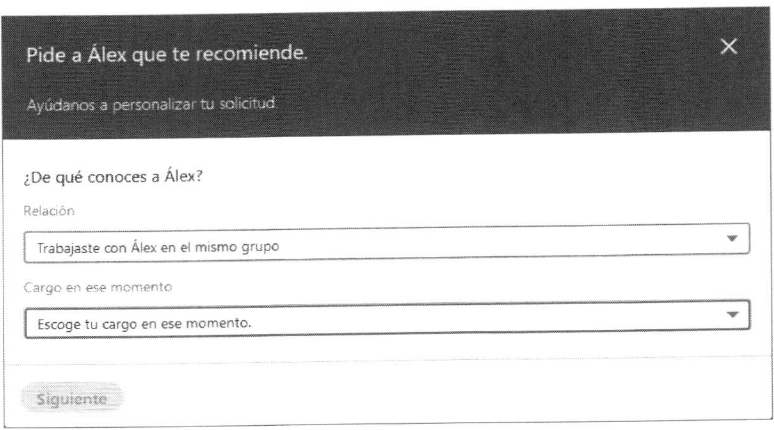

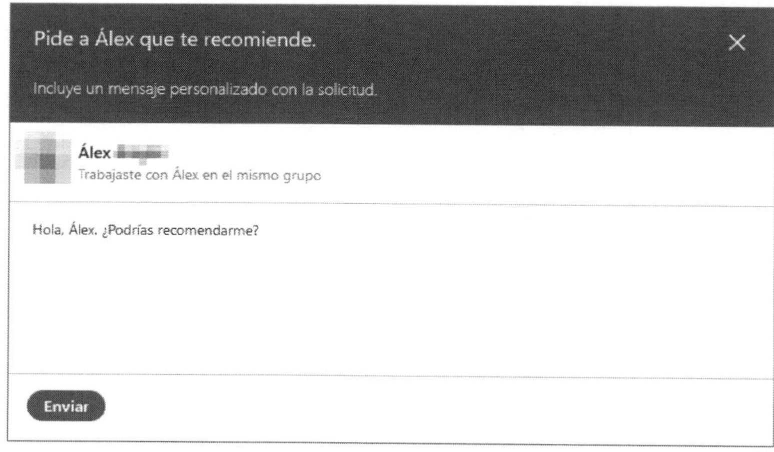

Más adelante, recibirá directamente en su bandeja de entrada la recomendación, que puede revisar antes de adjuntarla a su perfil. Si, pasado un tiempo determinado, desea que esta recomendación se actualice, puede hacerlo directamente en la sección de recomendaciones de su perfil.

- Haga clic en el icono ✎ para solicitar una modificación en la recomendación.
- Seleccione la recomendación que desea que se modifique y haga clic en **Solicitar revisión**.
- Se abre una nueva ventana en la que puede redactar un mensaje para explicar las razones por las que solicita dicha modificación.

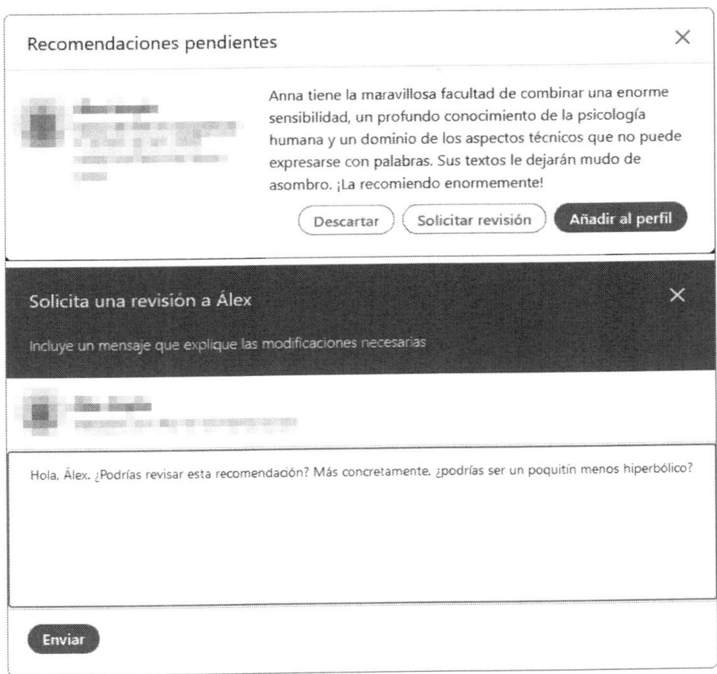

Observe que, si bloquea a un miembro que le ha escrito una recomendación, automáticamente esta última se retirará de su perfil y ya no podrá recuperarla aun cuando desbloquee a su autor.

11. Logros

Esta parte es muy interesante, ya que ensalza el potencial de sus actividades profesionales. Es la idónea para sus publicaciones, cursos, diplomas, proyectos, premios y distinciones, resultados de exámenes, idiomas y organizaciones (que suelen corresponder a clubes, asociaciones o causas).

Si su perfil es internacional y domina uno o más idiomas, no olvide agregar su nivel en cada uno de ellos. Cuando un técnico de selección busca un perfil bilingüe en inglés, por ejemplo, y el suyo no indica su nivel de competencia, está perdiendo la oportunidad de destacarse en los resultados de búsqueda.

Para agregar uno o más logros a su perfil, haga clic en **Añadir sección** y escoja los que le interesen en el menú desplegable.

Cada sección se puede desplegar haciendo clic en el botón ⌄, que permite saber más.

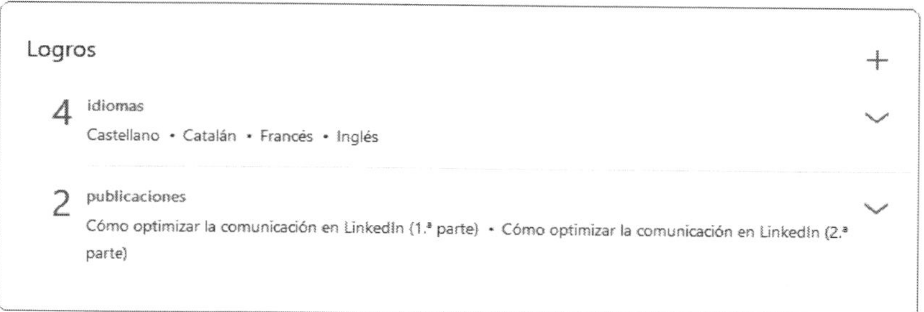

En este caso, por ejemplo, puede hacer clic en **Ver publicación**: un enlace le redirigirá directamente hacia el artículo.

Para editar cualquiera de estos elementos, haga clic en el botón .

D. Coordenadas de contacto

1. Personalizar la URL

Por defecto, la URL de su perfil se compone de su nombre y una serie de cifras y letras: linkedin.com/in/pedroperez0b3b07b7.

El hecho de personalizarla le permite tener una dirección profesional «cuidada», más fácilmente insertable en sus soportes de comunicación, como su firma de correo electrónico, su curriculum vitae o sus tarjetas de presentación. También será más legible, más fácil de memorizar e incluso más estética.

Al personalizarla, obtendrá una dirección que se parece a: www.linkedin.com/in/yourfirstnamelastname y eso lo diferenciará de las URL normales.

Esta URL funciona como un sitio web o una página de presentación. Al hacerla única, optimizará su posicionamiento natural y subirá en los resultados de búsqueda en Google.

Observaciones:

- Su URL personalizada puede incluir de 5 a 30 letras o cifras. No utilice espacios, símbolos ni caracteres especiales.
- Puede componerla de diferentes formas; generalmente, nombre/apellido, apellido/nombre o apellido/empresa.
- La URL es *case insensitive*. Esto significa que no hay ninguna distinción entre minúsculas y mayúsculas, de modo que PedroPerez, pedroperez o pedroPerez remiten al mismo perfil.
- Si la URL que desea no está disponible, deberá elegir una diferente. Las URL no se crean a petición de los miembros.
- Puede modificar su URL hasta cinco veces en seis meses.
- Si un miembro utiliza una URL y luego la modifica, esa URL no estará disponible ni para usted ni para ningún otro miembro en un período de seis meses.

Para editar su URL, haga clic en el icono **Yo**, en su página de inicio, y a continuación en **Ver perfil**.

Se le enviará a su página de perfil.

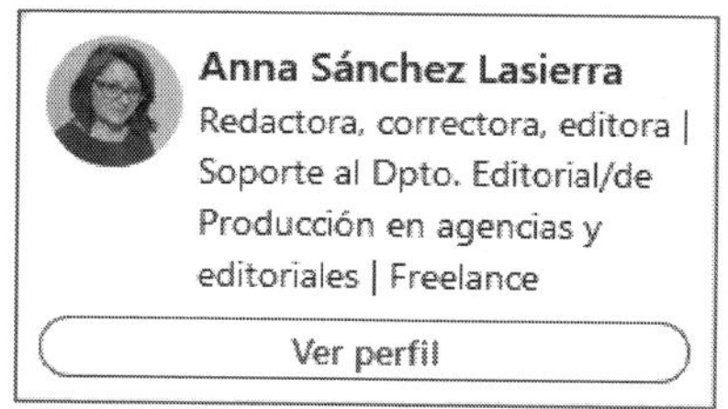

En la esquina superior del módulo de la derecha, haga clic en **Editar URL y perfil público**.

Editar URL y perfil público

- De nuevo en la esquina superior del módulo de la derecha, haga clic en el icono que aparece al lado de su URL actual.

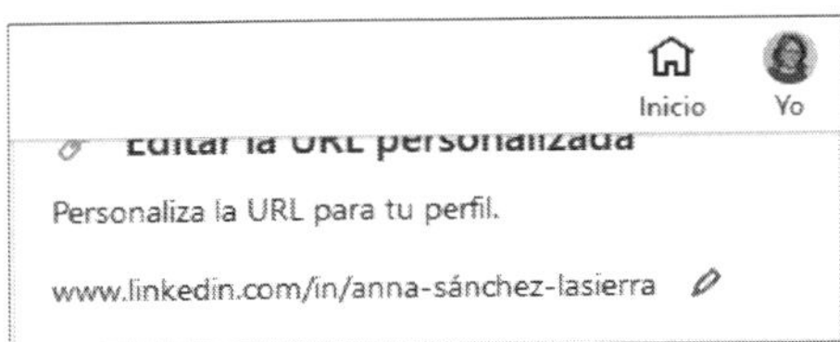

- En el recuadro correspondiente, personalice su URL y haga clic en **Guardar**.

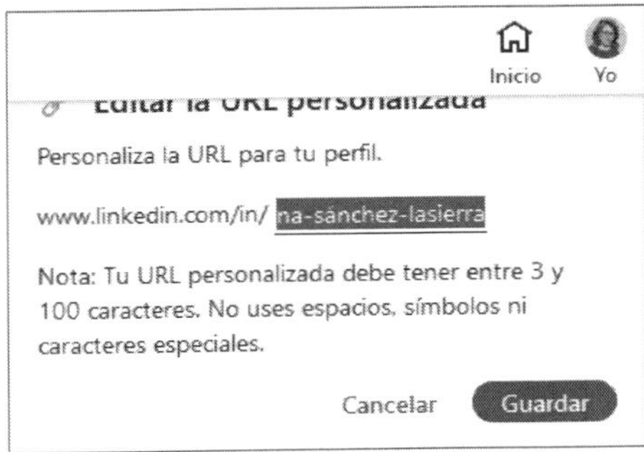

2. Rellenar sus datos de contacto

Un perfil sin datos de contacto es como un buzón sin nombre. Si desea que se pueda contactar fácilmente con usted, es imprescindible que complete su información profesional de contacto.

Además, en el encabezado de su perfil, si ha especificado sus datos de contacto, estos aparecerán como un hipervínculo, de color azul; de este modo, cualquiera que haga clic en él se dirigirá directamente a su ficha de contacto.

- Haga clic en **Información de contacto** en su perfil.

Anna Sánchez Lasierra
Redactora, correctora, editora | Soporte al Dpto. Editorial/de Producción en agencias y editoriales | Freelance
España · 41 contactos · Información de contacto

Aparece una pequeña ficha que debe rellenarse.

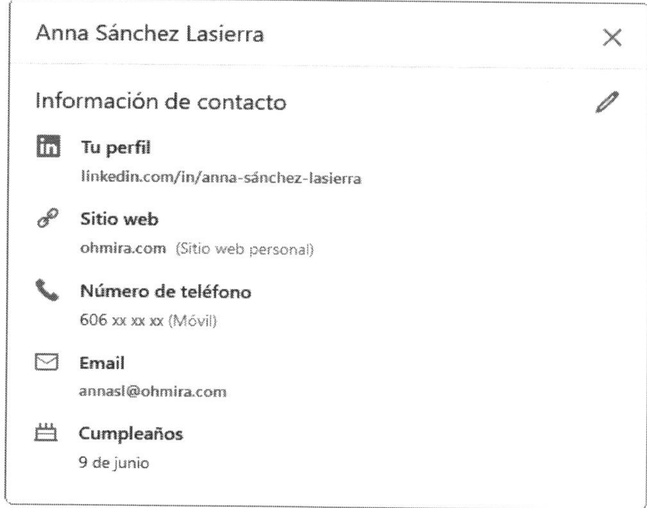

En esta parte, puede agregar:

- tres vínculos hacia otros tantos sitios (blog, sitio de empresa, portafolio, canal de YouTube, etc.),
- tres direcciones de mensajería instantánea (Skype, WeChat, Google Hangouts, ICQ, QQ, etc.),
- un número de teléfono y una dirección postal,
- su fecha de nacimiento, que, en función de lo que elija, podrán ver sus contactos de primer nivel o su red hasta el tercer grado, o incluso todos los miembros de LinkedIn. También puede mantener esta fecha en privado.

Compartir su fecha de cumpleaños es una excelente manera de estrechar lazos con su red. Le sorprenderá saber a cuánta gente le interesa felicitarlo; es una buena oportunidad para renovar el diálogo con los contactos con los que interactúa menos. También funciona a la inversa: aproveche este evento para enviar una pequeña nota. No solo se sentirá más satisfecho, sino que además estará demostrando su interés.

Acuérdese de actualizar todos los datos de contacto y de comprobar su exactitud.

Para editar o agregar datos de contacto, proceda de la siguiente manera:

- Haga clic en el icono ✎ y baje hasta **Información de contacto**.

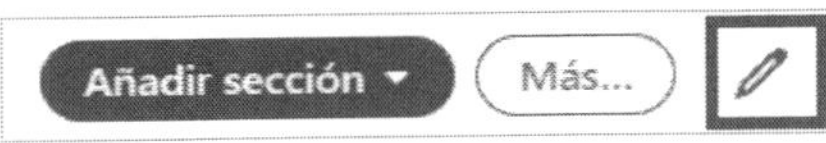

- Haga clic de nuevo en el icono ✎ y agregue o edite los elementos de contacto.

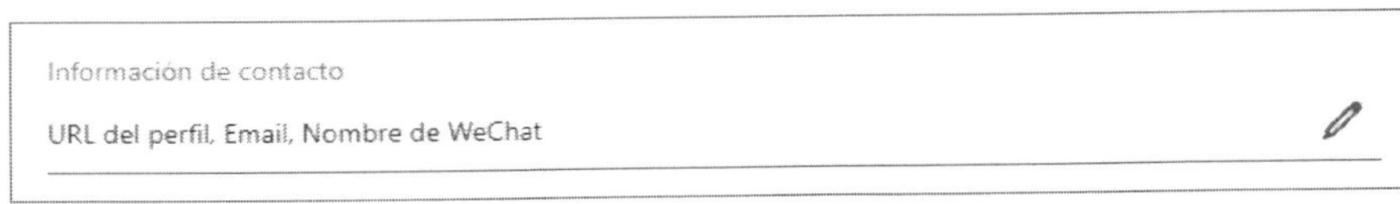

- De vuelta al cuadro **Editar presentación**, asegúrese de que ha incluido su país, su población y su sector.

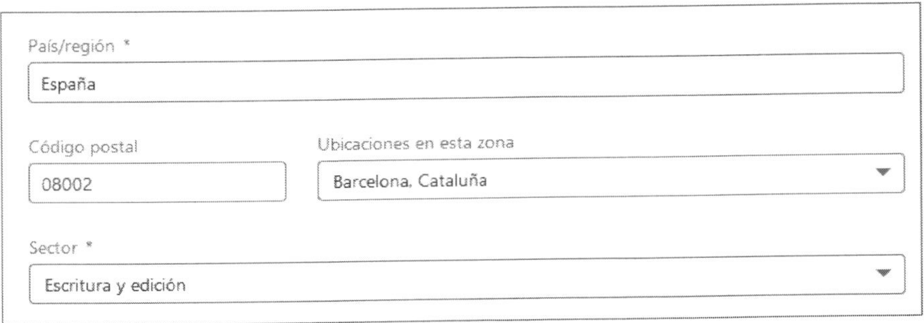

Más del 30 % de los reclutadores utilizan como criterios de búsqueda la ubicación y el sector de actividad del candidato. Omitir estos datos significa perder oportunidades. Observe que el hecho de añadir el sector de actividad hace que un perfil sea visto nueve veces más (fuente: https://blog.linkedin.com/2017/april/25/tuesday-tips-how-to-be-an-all-star-with-your-linkedin-profile).

E. Guardar su perfil en formato PDF

Tiene la posibilidad de guardar una copia de su perfil de LinkedIn en formato PDF. Esta opción es ideal especialmente cuando desea realizar cambios y comparar la nueva versión con una anterior. También es una forma rápida de compartir su currículum profesional con los reclutadores o las empresas para las que desea postularse.

- Desde su perfil, justo debajo de su banner, haga clic en el botón **Más**, y seleccione **Guardar como PDF**.

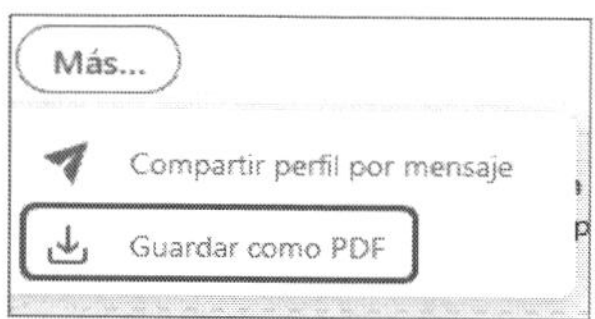

Su archivo estará listo en pocos minutos. Mostrará la casi totalidad de su perfil, a excepción de las recomendaciones escritas, y únicamente sus tres aptitudes principales.

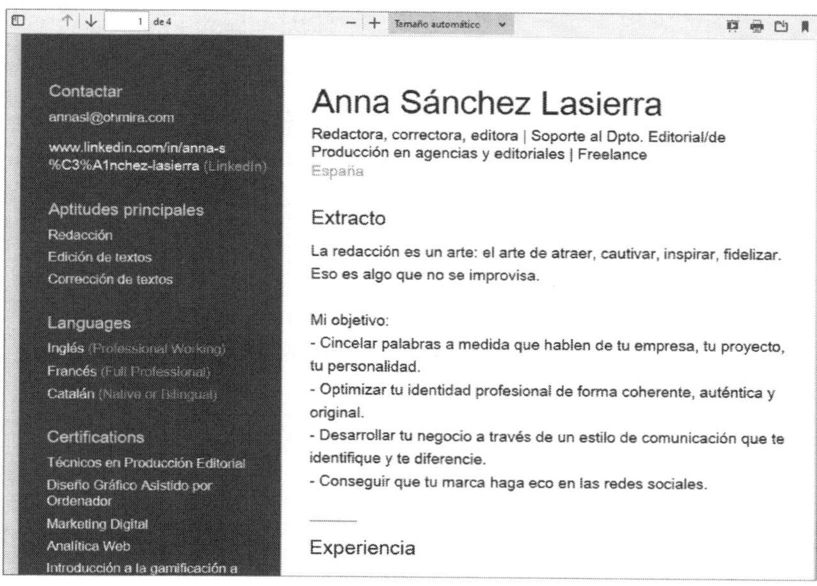

Contactar
annasl@ohmira.com
www.linkedin.com/in/anna-s%C3%A1nchez-lasierra (LinkedIn)

Aptitudes principales
Redacción
Edición de textos
Corrección de textos

Languages
Inglés (Professional Working)
Francés (Full Professional)
Catalán (Native or Bilingual)

Certifications
Técnicos en Producción Editorial
Diseño Gráfico Asistido por Ordenador
Marketing Digital
Analítica Web
Introducción a la gamificación a

Anna Sánchez Lasierra
Redactora, correctora, editora | Soporte al Dpto. Editorial/de Producción en agencias y editoriales | Freelance
España

Extracto
La redacción es un arte: el arte de atraer, cautivar, inspirar, fidelizar. Eso es algo que no se improvisa.

Mi objetivo:
- Cincelar palabras a medida que hablen de tu empresa, tu proyecto, tu personalidad.
- Optimizar tu identidad profesional de forma coherente, auténtica y original.
- Desarrollar tu negocio a través de un estilo de comunicación que te identifique y te diferencie.
- Conseguir que tu marca haga eco en las redes sociales.

Experiencia

F. Algunas nociones de configuración de la privacidad

Es preciso que conozca algunas configuraciones relacionadas con la privacidad, ya que tienen una influencia particular en la manera como gestionará LinkedIn en su día a día.

1. Hacer que su perfil sea público

Un perfil público permite que cualquier persona que no sea miembro de la red de LinkedIn, que no haya iniciado sesión en LinkedIn o que busque su nombre a través de un buscador lo encuentre. Al hacer que su perfil sea accesible al público, aumenta su visibilidad. De hecho, no todos los técnicos de selección pasan por LinkedIn para encontrar un candidato; los hay que hacen las búsquedas desde Google. Si su perfil no está configurado correctamente, ¡no hay posibilidad de encontrarle!

- Desde la página de inicio, en el menú **Yo**, seleccione **Configuración y privacidad**. Acceda a la sección **Visibilidad de tu perfil y tu red**.
- Haga clic en el título **Editar tu perfil público**. Se le enviará a la página de edición de su perfil público.

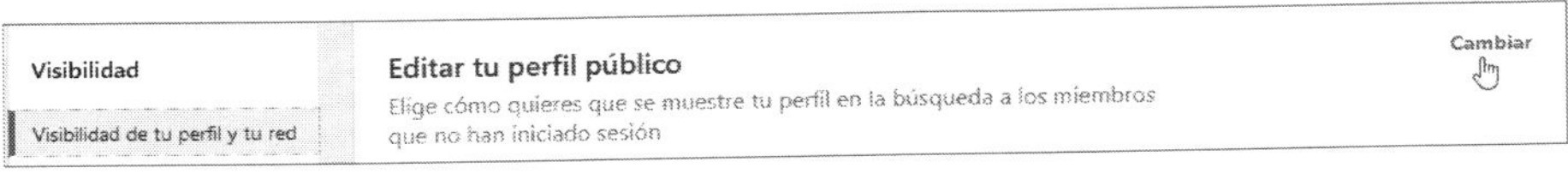

✎ En la columna de la derecha, y en la sección **Editar visibilidad**, compruebe que está activado el botón **Visibilidad pública de tu perfil**.

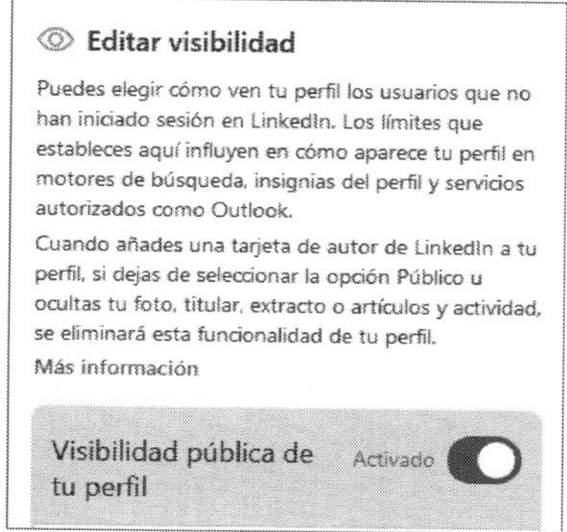

Por defecto, todos los demás botones que corresponden a secciones de su perfil están activados para que dichas secciones sean visibles. Si decide ocultar algunas secciones, puede hacerlo desde aquí.

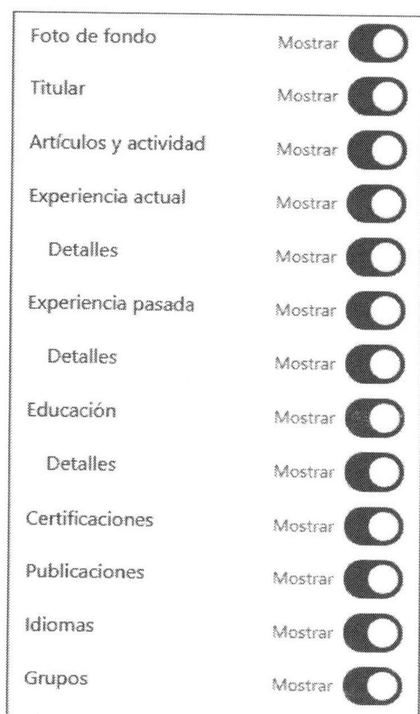

Cuando muestra u oculta determinadas secciones, la vista previa de su página de perfil se actualiza automáticamente.

2. Compartir los cambios en el perfil

Puede decidir si desea compartir con su red los cambios en ciertas secciones de su perfil de LinkedIn. Si esta opción está habilitada, generará una publicación en los *feed* o una notificación en la aplicación o por correo electrónico.

Este es particularmente el caso de los cambios de trabajo, los nuevos cursos de formación y los aniversarios profesionales.

Por ejemplo, si cambia su perfil para incluir su nuevo puesto, ello se notificará a toda su red. Lo mismo sucederá si ha realizado un nuevo curso. Su aniversario profesional corresponde al número de años que lleva con la misma empresa.

A continuación, se muestra un ejemplo de notificación que cualquiera puede recibir si esta opción está activada:

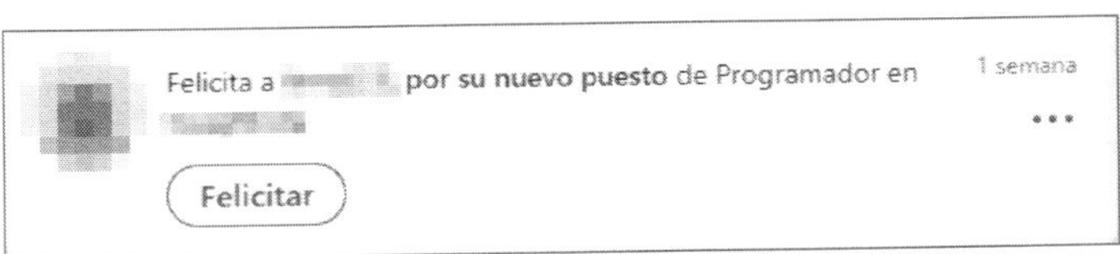

Para evitar que cada uno de sus movimientos sea «escrutado» por su red, basta con que desactive la notificación correspondiente. En caso de que esté buscando un nuevo empleo, seguramente no le gustará que su superior, el cual forma parte de su red, reciba una notificación con la actualización de su estado.

Desde su página de inicio, en el menú **Yo**, seleccione **Configuración y privacidad**. En el menú lateral, seleccione **Visibilidad** y, a continuación, **Visibilidad de tu actividad en LinkedIn**; haga clic en el botón **Cambiar** de la opción **Comparte los cambios de empleo o estudios y aniversarios laborables desde tu perfil**. Sabrá que esta opción está activada porque se muestra un **Sí** justo a la derecha.

✎ Desplace el botón de **Sí** a **No**. Su elección se aplica automáticamente y por eso aparece la etiqueta **Guardado**.

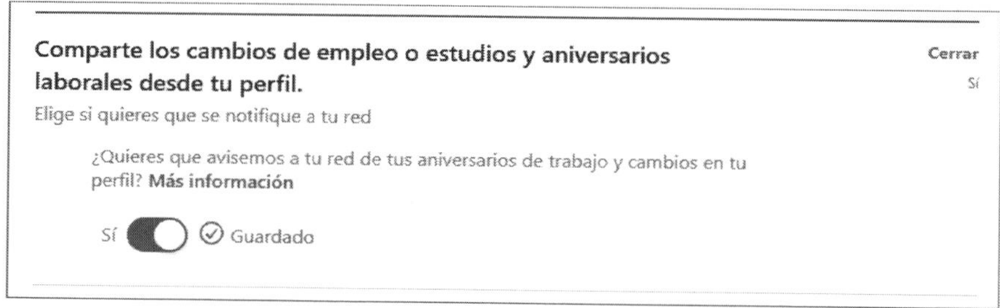

3. Cómo ven los demás su actividad en LinkedIn

Cuando mira el perfil de un miembro en LinkedIn, la persona recibe una notificación de su visita. Existe una opción que permite navegar en modo parcialmente privado o totalmente de incógnito, que queda identificado como «usuario anónimo» de LinkedIn. En este último caso, con frecuencia quienes prefieren permanecer invisibles son profesionales; por ejemplo, comerciales que espían a sus competidores, técnicos de selección que consultan perfiles de candidatos o incluso usuarios básicos que buscan inspiración en los perfiles de otros miembros.

Si tiene una cuenta gratuita y elige navegar en modo privado, no podrá averiguar quién ha visto su perfil. Si tiene una cuenta Premium, puede navegar en modo privado y seguir viendo la lista de las personas que han visto su perfil en los últimos 90 días.

Un ejemplo concreto:

Recibe una notificación en el momento en que una persona consulta su perfil.

- Haga clic en **Ver todas las visualizaciones** para dirigirse directamente a la página **Quién ha visto tu perfil**.

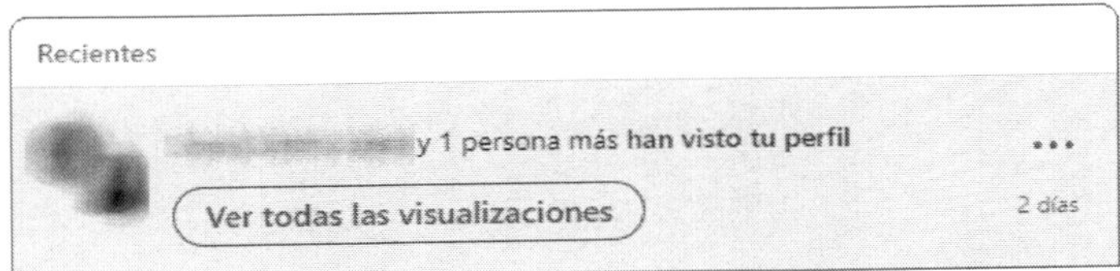

- De este modo, puede acceder a la información sobre sus visitantes desde el panel de su perfil, en **Quién ha visto tu perfil**.

En el caso de los visitantes en modo visible, podrá ver (dependiendo de su propia configuración de privacidad), su foto, nombre, cargo, nivel de relación (1.er, .2º o 3.er), su empresa y la ubicación desde la que lo encontraron.

En el caso de los visitantes parcialmente visibles, conocerá el sector, o bien su cargo o el nombre de su empresa actual.

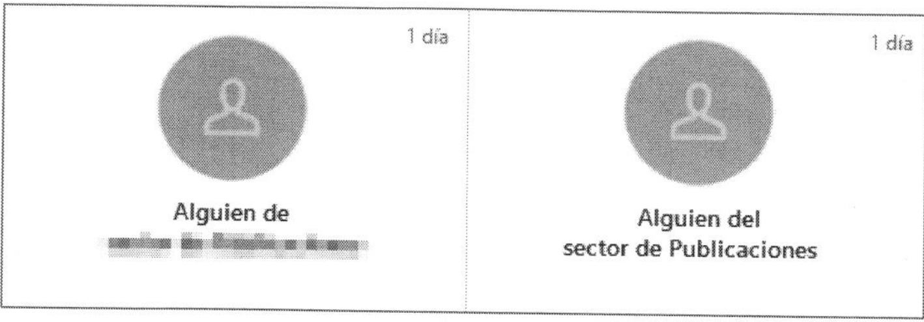

- Para cambiar su modo de navegación en LinkedIn, desde su página de inicio, en el menú **Yo**, seleccione **Configuración y privacidad**. En el menú lateral, haga clic en **Visibilidad** y a continuación en **Visibilidad de tu perfil y tu red** y, finalmente, en **Opciones de visualización del perfil**, y seleccione la opción que desee:

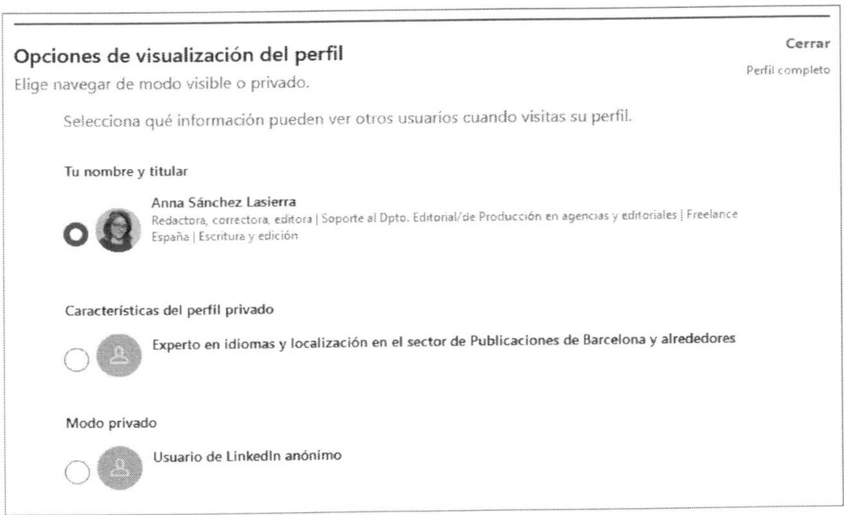

4. Descargar sus datos

Por varias razones, es posible que desee realizar un seguimiento de los datos que LinkedIn guarda sobre usted. Esta información incluye artículos, contactos, recomendaciones, invitaciones, mensajes, certificaciones, aptitudes, etc.

Determinados datos están disponibles en un plazo de 24 horas, como los comentarios que ha realizado, la lista de las personas y empresas que sigue, todas las publicaciones lanzadas en los grupos, lo que ha compartido o recompartido, así como las entradas que han publicado, etc. En resumen, ¡una auténtica mina de oro!

Para descargar sus datos, desde su página de inicio, en el menú **Yo**, seleccione **Configuración y privacidad**. En el menú lateral escoja **Privacidad de datos** y, a continuación, **Cómo utiliza LinkedIn tus datos**; haga clic en **Obtener una copia de tus datos** y, finalmente, seleccione los elementos que le interesen de la lista que se muestra:

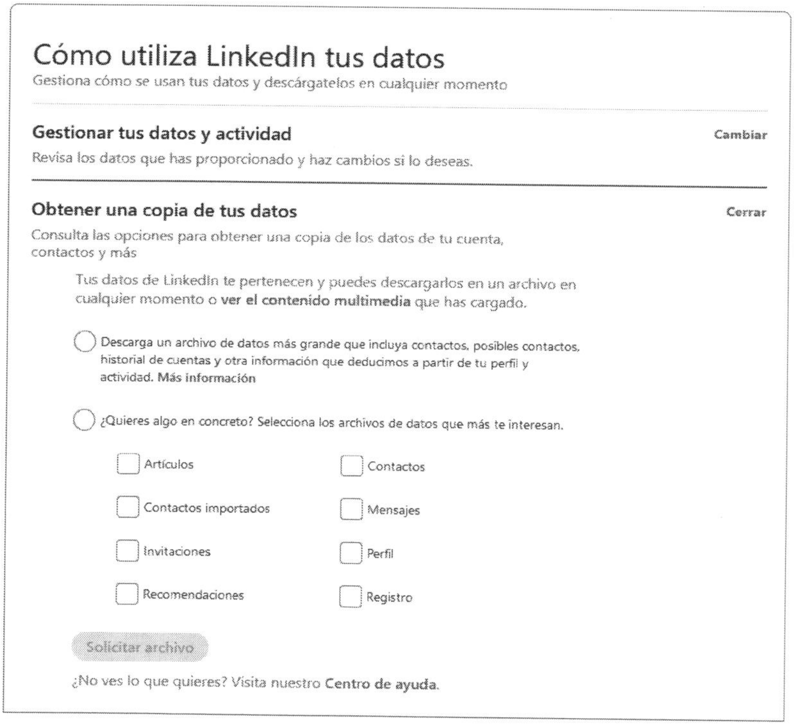

Cómo utiliza LinkedIn tus datos
Gestiona cómo se usan tus datos y descárgatelos en cualquier momento

Gestionar tus datos y actividad — Cambiar
Revisa los datos que has proporcionado y haz cambios si lo deseas.

Obtener una copia de tus datos — Cerrar
Consulta las opciones para obtener una copia de los datos de tu cuenta, contactos y más

Tus datos de LinkedIn te pertenecen y puedes descargarlos en un archivo en cualquier momento o **ver el contenido multimedia** que has cargado.

Descarga un archivo de datos más grande que incluya contactos, posibles contactos, historial de cuentas y otra información que deducimos a partir de tu perfil y actividad. **Más información**

¿Quieres algo en concreto? Selecciona los archivos de datos que más te interesan.

Artículos
Contactos
Contactos importados
Mensajes
Invitaciones
Perfil
Recomendaciones
Registro

Solicitar archivo

¿No ves lo que quieres? Visita nuestro **Centro de ayuda**.

En unos pocos minutos, recibirá un correo electrónico con un enlace que le permitirá descargar algunas categorías de datos; especialmente, aquellas que pueden compilarse con rapidez (tiempo estimado por LinkedIn: 10 minutos).

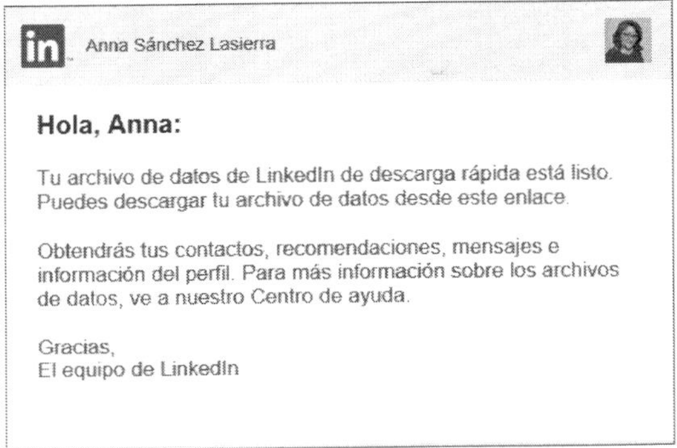

En lo que respecta a los artículos, los recibirá en formato HTML, sin el contenido multimedia.

5. Preferencias de búsqueda de empleo

Cada ocho segundos, se selecciona a alguien a través de LinkedIn (fuente: https://business.linkedin.com/talent-solutions/post-jobs); tal es la potencia de esta red en materia de ofertas y demandas. Para que haya más oportunidades a su favor, puede indicar a los reclutadores que está «open to work», es decir, receptivo a las ofertas.

- Vaya a la página **Intereses de empleo**, disponible en este enlace: https://www.linkedin.com/jobs/career-interests/

Se le reenviará a una página específica:

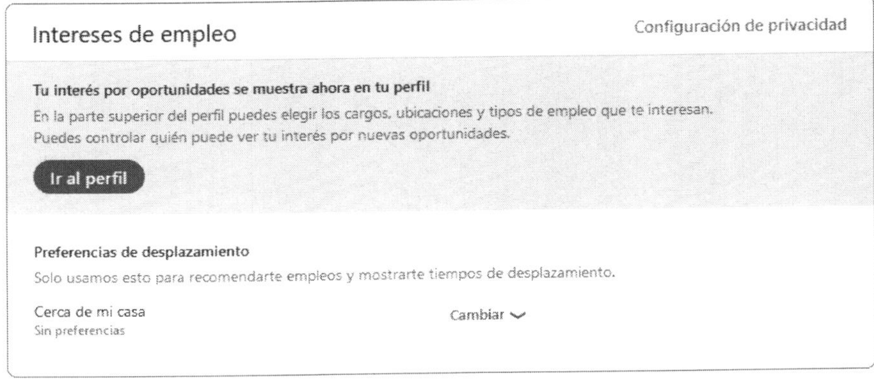

- Haga clic en **Ir al perfil** para añadir todos los cargos que le interesen.
- Haga clic en **Añadir cargo +** para añadir los cargos que le interesan. Luego haga clic en **Añadir ubicación +** para concretar sus preferencias geográficas.

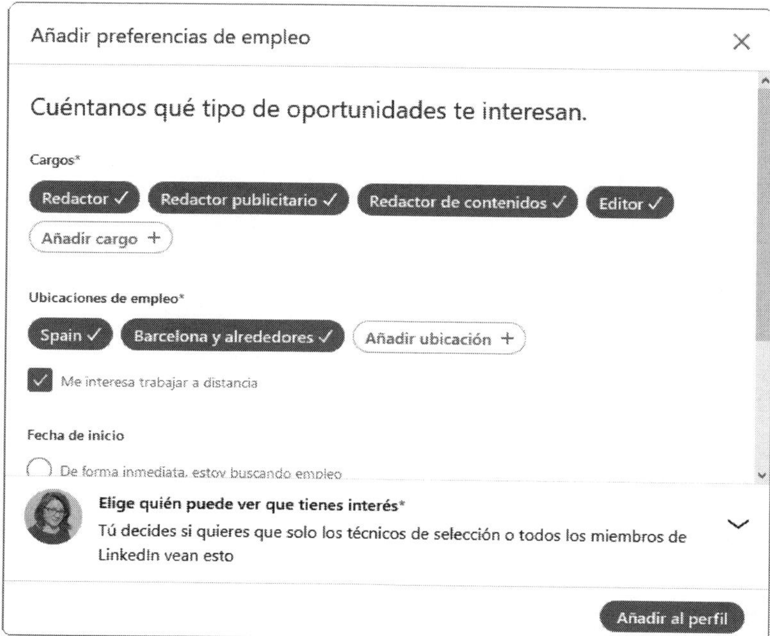

Finalmente, puede elegir si prefiere que únicamente vean esta información los técnicos de selección o bien todos los miembros de LinkedIn.

- Escoja quién puede ver que está abierto a oportunidades de empleo:

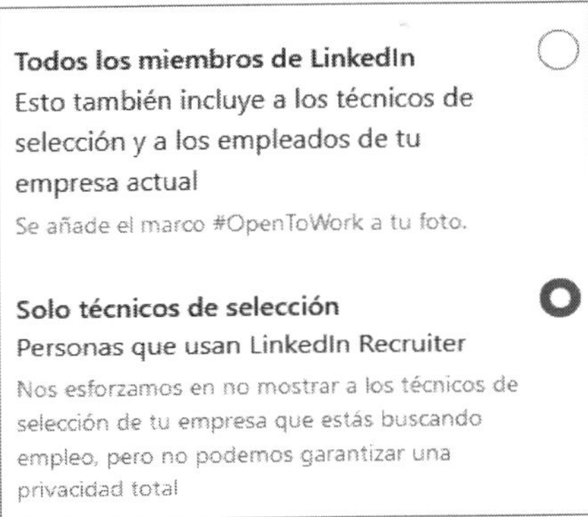

Tipos de empleo le permite seleccionar los distintos tipos de contrato a los que está abierto.

- Una vez que ha completado los criterios, haga clic en el botón **Añadir al perfil**.

  A continuación, en el encabezado de su perfil, aparece un recuadro con el texto **Buscando empleo** en el que se especifica **Solo técnicos de selección** si ha escogido esta opción:

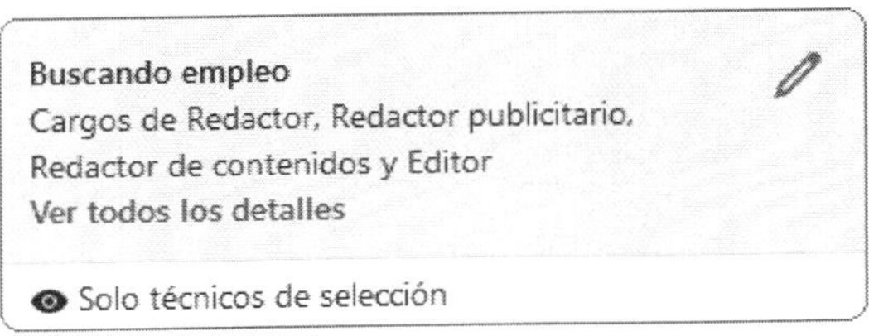

La opción **Buscando empleo** por lo general puede configurarse también desde el menú **Yo - Configuración y privacidad**.

- En **Privacidad de datos, Preferencias de búsqueda de empleo**, escoja **Mostrar interés a los técnicos de selección de empresas para las que ha creado alertas de empleo** y deslice el botón hacia **Sí**.
- En la página **Preferencias de búsqueda de empleo**, haga clic en **Preferencias de desplazamiento** para indicar el tiempo que está dispuesto a invertir en el desplazamiento entre su domicilio y su puesto de trabajo, así como el medio de transporte que va a utilizar.

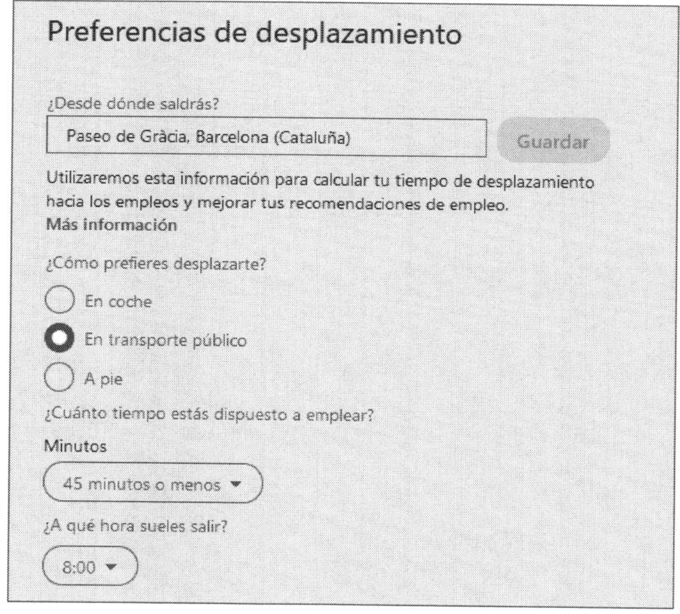

Una vez que haya compartido sus intereses profesionales, solo los técnicos de selección que utilicen la versión de LinkedIn Recruiter tendrán acceso a sus preferencias e información profesional.

Esta opción se mantiene en discreción con respecto a su empleador actual; en otras palabras, LinkedIn bloquea su perfil para que no aparezca en los resultados de búsqueda de los técnicos de selección que pertenecen a la misma empresa (o filiales) que usted.

Hay otra función que puede interesarle si está buscando empleo: **Salario**. De hecho, partiendo de la base salarial indicada por sus miembros, LinkedIn proporciona información sobre la remuneración básica según el puesto de trabajo, la región y el número de años de experiencia. También encontrará datos por tamaño de la empresa y por campo de estudios, seguido por los candidatos que ejercen una profesión similar a la suya y, además, los lugares mejor remunerados para la función que usted desempeña. Estos datos pueden ser particularmente útiles, sobre todo si desea concretar un rango salarial coherente durante una entrevista.

Para acceder a esta función, desde su página de inicio, haga clic en el icono **Empleos** y, a continuación, en **Salario**. También puede acceder a ella desde esta dirección: https://www.linkedin.com/salary?trk=jobshome_linkedin_salary

6. Comunicación

En LinkedIn es posible administrar la manera como recibe sus notificaciones sobre noticias, conversaciones, ofertas de empleo, el perfil y la red. Para cada uno de estos elementos, puede activar/desactivar la notificación correspondiente.

Desde su página de inicio, en el menú **Yo**, seleccione **Preferencias y privacidad**. Haga clic en el menú lateral **Comunicaciones**, luego en **Cómo recibes las notificaciones** y finalmente en **En LinkedIn**:

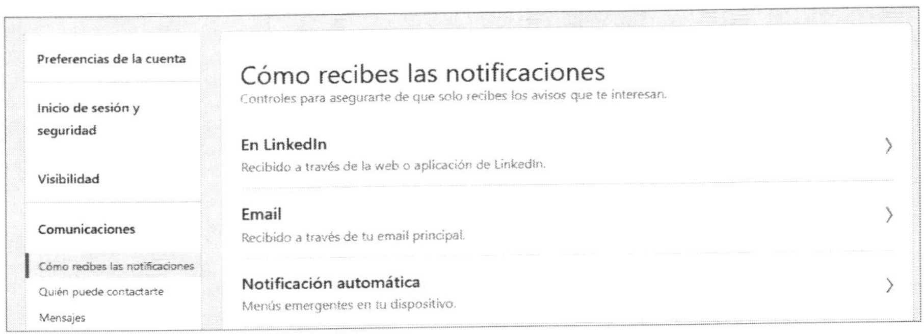

Como podrá constatar, las notificaciones son muy numerosas: es mejor que seleccione solo las que realmente necesita para no quedar abrumado por tanta alerta.

Para cada ítem, puede escoger entre activar o desactivar la notificación. Obtendrá el detalle de las notificaciones haciendo clic en la flecha correspondiente.

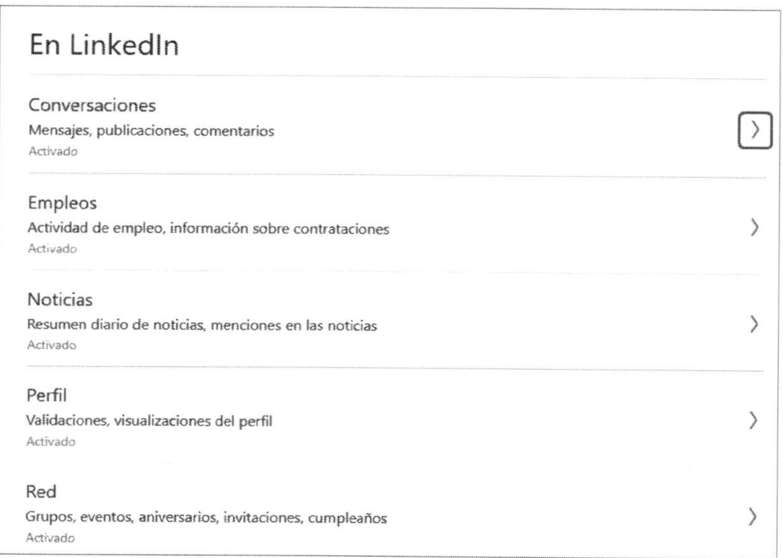

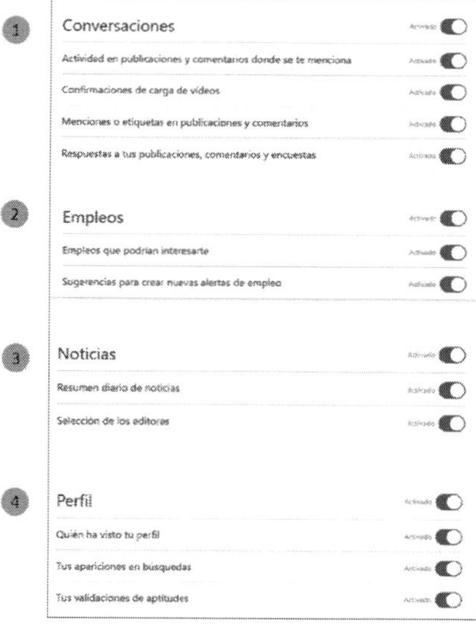

7. Administrar el estado activo

Cuando un usuario está en línea, se muestra una función llamada Estado activo. Esta función está activada por defecto y su objetivo, según LinkedIn, es ayudar a los usuarios a saber quién está actualmente en la red para que puedan interactuar «en directo» entre sí, un poco a la manera de Skype.

¿Qué aspecto presenta?

Pastilla verde llena: El usuario está actualmente en línea (en las versiones móvil y de escritorio) y, si usted le envía un mensaje, se le notificará instantáneamente.

Pastilla verde con punto blanco: El usuario está conectado con la versión móvil y sus notificaciones *push* están activadas. Se le avisará inmediatamente si le envía un mensaje.

Si no hay ninguna pastilla verde junto a la foto de un miembro, significa que no está en línea o que esta función permanece desactivada, por lo que verá su mensaje únicamente cuando se conecte a su servicio de mensajería en la versión de escritorio o móvil. También se pierde la posibilidad de ver cuándo están activos sus contactos en LinkedIn.

Si no desea que lo molesten, puede elegir qué estado mostrar.

✎ Desde la página de inicio, en el menú **Yo**, seleccione **Configuración y privacidad**. Haga clic en **Visibilidad**, luego en **Visibilidad de tu actividad en LinkedIn** y finalmente en **Gestionar tu estado**.

✎ Elija a continuación quién puede verle cuando está en línea.

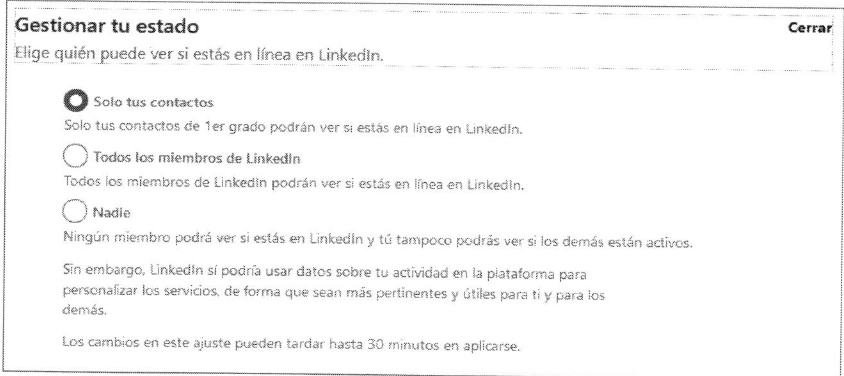

G. Consultar su panel

El panel de control es una herramienta que le permite, de alguna manera, medir la relevancia de su perfil.

Le proporciona tres datos esenciales:

- Quién ha visto su perfil.
- El número de visualizaciones de su última publicación.
- El número de apariciones en los resultados de búsquedas.

Para acceder, desde su página de inicio, en el menú **Yo**, haga clic en **Ver perfil**.

Tras su extracto, aparece un módulo denominado **Tu panel**:

He aquí la información que ofrece:

- **Quién ha visto tu perfil** le permite saber más cosas de las personas que han consultado su perfil en función de diversos criterios. Aquí encontrará información valiosa, como las tendencias de los últimos 90 días, el sector de actividad de los miembros, los nombres de las empresas, los nombres de los cargos, las consultas interesantes (por lo general, en función de la cantidad de relaciones en común) y cómo le han encontrado (desde la página de inicio, en la red de LinkedIn, en un buscador, etc.).

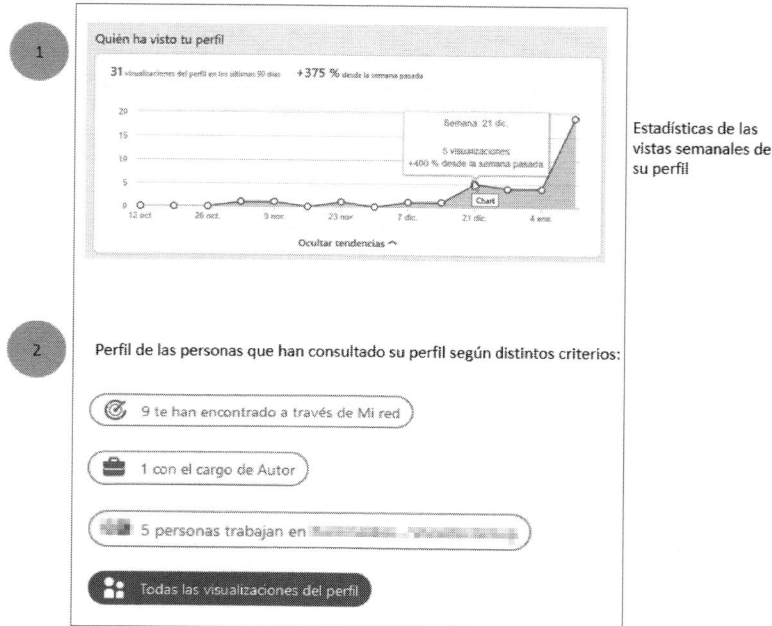

- **Las visualizaciones de sus últimas publicaciones** le remiten directamente a su página de actividad para consultar las estadísticas de sus últimas publicaciones (o documentos).

La parte **Documentos** corresponde a los formatos PDF o PowerPoint que ha añadido a sus publicaciones, por ejemplo, y que aparecen en forma de carrusel de diapositivas.

- **Las apariciones en búsquedas** se realizan semanalmente. Aquí encontrará el nombre de las empresas a las que pertenecen las personas que le han buscado, sus cargos o las palabras clave utilizadas para encontrarle (*esta última opción únicamente está disponible en versión Premium*).

Estos datos le permiten conocer mejor a las personas que consultan su perfil y que pueden ser útiles para su red. Se trata, por lo tanto, de un activo importante si está buscando prospectos o si desea enviar invitaciones mejor dirigidas, basándose en la información proporcionada por LinkedIn. Si su perfil capta el interés de algunos visitantes, identifique lo que tiene en común con ellos y piense qué beneficios podría obtener de esta relación.

H. Suscripción

¿Cuáles son las diferencias entre la versión gratuita y Premium?

Antes de suscribirse a la versión Premium Business, le recomiendo que se familiarice con la plataforma y tenga un perfil optimizado, dado que el coste de esta suscripción es de 44,99 €/mes, IVA incluido (en caso de que realice un único pago anual). Tómese el tiempo para dominar LinkedIn antes de lanzarse. Recuerde que puede probar la versión Premium de forma gratuita durante un mes para comprobar que realmente le conviene.

La versión Premium Business está dirigida más específicamente a personas que quieran implementar una estrategia más elaborada: ampliar su red, realizar investigaciones específicas para identificar objetivos (clientes reales o potenciales, socios, etc.), promocionar su marca profesional, impulsar su negocio o su carrera.

Los beneficios:

- Verá más resultados para cada búsqueda. La versión gratuita lo bloqueará con un mensaje del tipo «límite de uso» que se reiniciará el mes siguiente.
- Puede guardar hasta siete búsquedas (por lo que hemos podido probar), a diferencia de la versión gratuita, que está limitada a tres.
- Se beneficia de un crédito de 15 InMails/mes. Los mensajes InMails son mensajes que puede enviar a cualquier persona fuera de su red. La versión gratuita, en cambio, restringe este envío solo a sus conexiones.

  Un InMail se puede comparar con un correo electrónico «publicitario», utilizado especialmente por miembros del sector BtoB para promocionar una oferta. Se presenta con la apariencia de un correo electrónico y, por lo general, incluye un título llamativo, un texto y un botón de llamada a la acción para animar al destinatario a hacer clic en un enlace a su sitio, a la página de LinkedIn de su empresa, a un formulario de registro para un evento, etc. A diferencia de un correo electrónico, que puede perderse en la carpeta para spam, el InMail llega directamente al correo electrónico de la persona a la que se dirige. Esto significa que el destinatario recibe toda la información del perfil de usted, lo que tiene la ventaja de resultar menos impersonal.

  Puede encontrar más información sobre los InMails haciendo clic en este enlace: https://business.linkedin.com/es-es/marketing-solutions/message-ads

  Y aquí tendrá acceso a la Guía para escribir mensajes InMail de LinkedIn eficaces: https://business.linkedin.com/content/dam/business/talent-solutions/regional/es-es/site/pdf/tipsheets/linkedin-inmail-ebook-es-es.pdf

- Puede ver toda la información de las personas que han visitado su perfil en los últimos 90 días, mientras que la versión gratuita se limita a mostrar las últimas cinco personas y le ofrece, entonces, suscribirse a una cuenta Premium para verlas a todas.
- También puede mejorar sus aptitudes con LinkedIn Learning, que es una plataforma de aprendizaje en línea con cursos variados en tres áreas principales: Negocios, Creatividad, Tecnología. Cada vez que completa un curso, la certificación se agrega automáticamente a su perfil: una verdadera ventaja para demostrar la actualización de sus aptitudes y enriquecer su currículum profesional.
- Su búsqueda de trabajo se vuelve más fácil, ya que la versión Premium identifica para usted los trabajos para los cuales sus aptitudes y objetivos profesionales lo convierten en el candidato mejor posicionado.
- Tiene acceso a detalles «punteros» y exclusivos en las páginas de la empresa, como la distribución de empleados y el crecimiento de la plantilla por función, el número de nuevas contrataciones, una selección de exempleados para encontrar posibles compañeros, etc.
- Obtiene una insignia Open Profile, gracias a la cual cualquier miembro de LinkedIn puede enviarle un mensaje, incluso aunque no esté conectado con usted.

La versión gratuita ya ofrece muchas funciones, aunque algunas están restringidas. En cualquier caso, Premium Business le proporciona mayor conocimiento de su entorno profesional.

I. Indexación

1. La importancia de las palabras clave en su perfil

Cuando crea un sitio web, es necesario incorporar las palabras clave más relevantes para que cada página se clasifique de la mejor manera posible en los buscadores. Su perfil de LinkedIn funciona siguiendo el mismo principio que una página web, ya que tiene una dirección única basada en su URL. Cuanto más se complete y optimice, más probabilidades tendrá de aparecer en la parte superior de los resultados de búsqueda en LinkedIn, pero también en la primera página de Google.

Los técnicos de selección principalmente –pero también cualquier usuario de LinkedIn que busque una persona específica– introducirá palabras clave basadas, por ejemplo, en aptitudes, un sector de actividad, puesto de trabajo, etc., para identificar con la mayor exactitud posible un perfil que encaje con lo que buscan.

Estas palabras clave se pueden encontrar en casi todas partes de su perfil, pero las áreas principales en las que deben aparecer son:

- el cargo,
- el extracto,
- los textos descriptivos de su experiencia y los nombres de los cargos que ocupó en trabajos anteriores,
- las aptitudes.

Sin palabras clave bien dirigidas –de hecho, sin palabras clave– usted no llamará suficientemente la atención en consultas en las que, de otro modo, destacaría como candidato.

2. ¿Cómo buscar las palabras clave correctas?

He aquí algunas pistas para encontrar palabras clave efectivas:

- Piense en una persona que pueda estar interesada en sus servicios: ¿qué palabras clave relacionadas con su oficio, sus habilidades o sus aptitudes va a introducir en LinkedIn?

  Por ejemplo, un técnico de selección que busca un especialista en marketing escribirá «especialista en marketing», mientras que otro introducirá «jefe de producto marketing», por lo que debe pensar en todas las posibles variaciones según su trabajo. Otro ejemplo: supongamos que es usted diseñador gráfico. En este caso, puede precisar en su titular el área en la que es más experto para reforzar la relevancia de su perfil: diseñador gráfico multimedia, diseñador gráfico 3D, maquetista, infografista, diseñador web, diseño gráfico, etc.

Evite las expresiones demasiado vagas o comunes: son claramente las palabras clave adecuadas las que le permitirán resaltar.

- Haga una prueba: introduzca su profesión en el buscador de LinkedIn y eche un vistazo a los perfiles de sus competidores. ¿Qué palabras clave están destacadas?
- Consulte las ofertas de empleo para identificar palabras y expresiones relacionadas con su actividad que podrían serle útiles.

Si usted es consultor de marketing, cabe esperar palabras clave en su extracto y su experiencia como «estudios de mercado», «diseño de campañas promocionales», «creación de planes de comunicación», «aumentar tráfico», etc.

También puede incluir palabras clave en la sección **Logros**, donde cada subtema (publicación, reconocimientos, cursos, etc.) incluye una zona de descripción muy útil para agregar palabras clave.

En el siguiente perfil puede observar dónde se hallan las palabras clave en relación con el oficio de redactor, ya que están resaltadas en las distintas secciones. Con esta pequeña muestra podrá hacerse una idea más precisa.

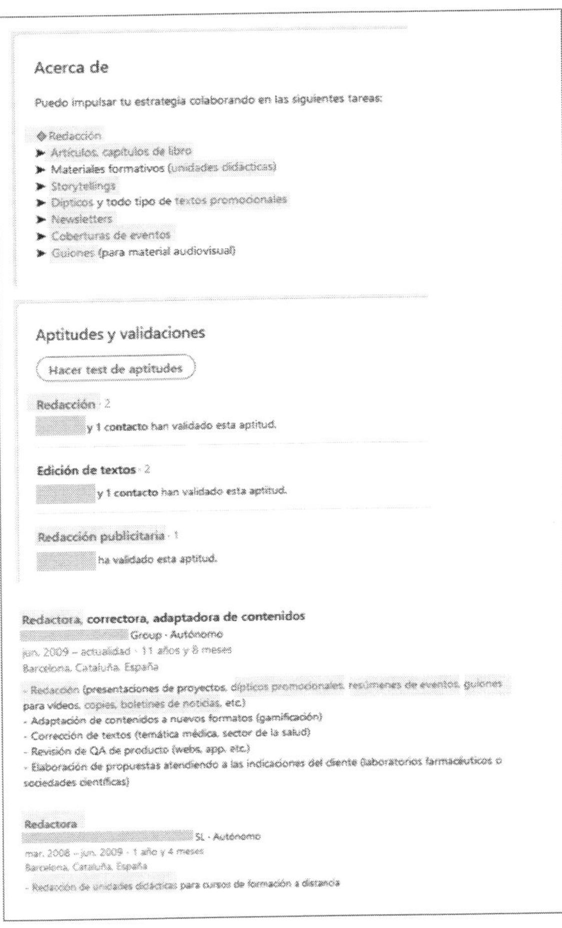

Es igual de «flagrante» en el caso de una oferta de empleo. Tomemos el ejemplo de un técnico de marketing y comunicación. Podríamos leer en el apartado de experiencia profesional o en su extracto palabras clave como «gestión de contenidos, diseño, planificación, ejecución de campañas, segmentación, análisis de campañas», etc. En este caso, cuando le falten palabras clave para describir lo que está haciendo, inspírese (¡no copie un párrafo completo!) en un anuncio o en la descripción de un cargo. Si en el anuncio se solicita el dominio del paquete Office, esta es una habilidad que debe agregarse, así que ¡es una palabra clave adicional!

El algoritmo de LinkedIn analiza la cantidad de veces que aparecen las palabras clave en su perfil para establecer su clasificación en el buscador: por tanto, son importantes para la visibilidad de su perfil. Gracias a ellas refuerza su relevancia y resulta más fácil encontrarle.

No dude en realizar una búsqueda en Google con el titular de su puesto para comprobar cómo se ve.

J. Perfil bilingüe

Si desea llegar a empresas o técnicos de selección internacionales o bien mantiene un contacto regular con clientes (potenciales o consolidados) radicados en el extranjero, tiene la posibilidad de crear un perfil en otro idioma.

Observaciones:

- Las personas que consultan su perfil lo ven en el idioma que usan para el sitio.
- No puede hacer que un perfil secundario sea su perfil principal.
- El perfil en otro idioma tiene la ventaja de usar una URL distinta: por ejemplo, en inglés: https://www.linkedin.com/in/nombre-apellido/?local=en_US; en español: https://www.linkedin.com/in/nombre-apellido/?locale=es_ES
- Las recomendaciones de aptitudes y las añadidas al perfil en el idioma principal se reflejarán automáticamente en el perfil en el idioma secundario y viceversa. Además, solo las secciones **Acerca de**, **Experiencia** y **Educación** pueden detallarse en la segunda lengua.

Para crear un perfil en otro idioma, haga clic en el menú **Yo** en la barra de menús y, a continuación, en **Ver perfil**.

En la parte superior de la columna derecha, haga clic en **Añadir perfil en otro idioma**.

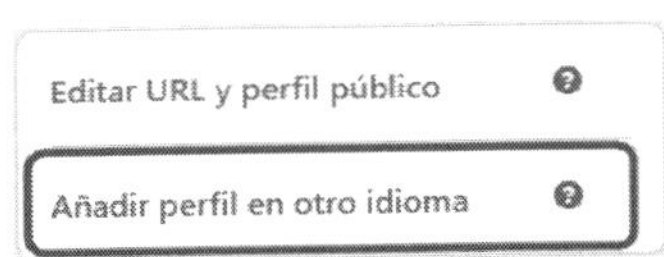

Seleccione a continuación el idioma para su otro perfil.

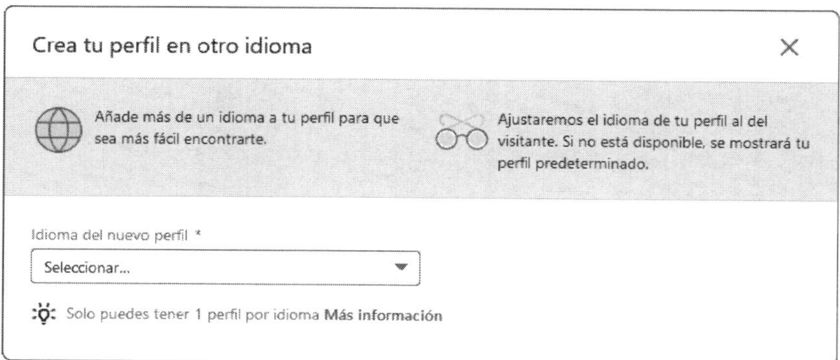

Rellene los campos correspondientes.

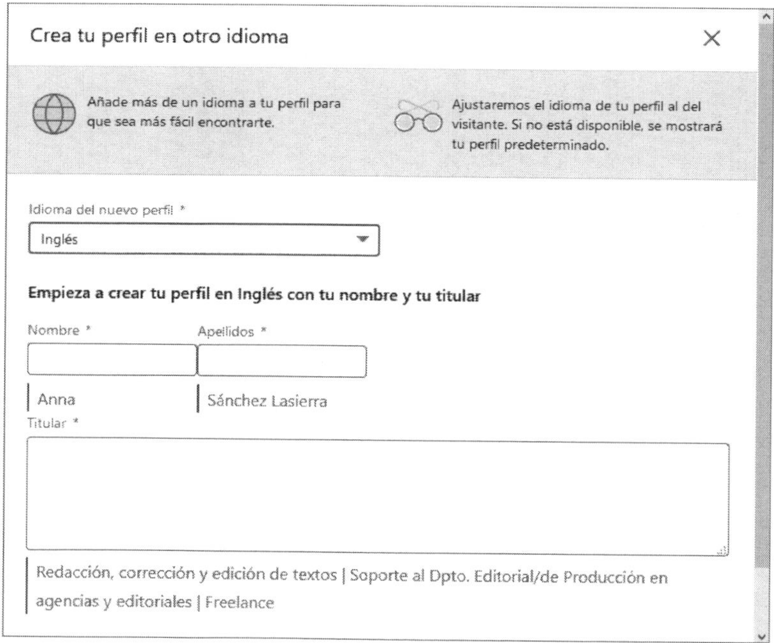

Los usuarios tendrán la posibilidad de elegir manualmente el idioma en el que desean consultar su perfil haciendo clic en el botón superior de la columna derecha de dicho perfil.

- Si desea eliminarlo, haga clic en el icono **Yo** de la barra de menús, luego en **Ver perfil**.

  El perfil secundario se muestra debajo del perfil principal, en la columna de la derecha.

- Haga clic en la crucecita que hay al lado del perfil secundario para eliminarlo, así:

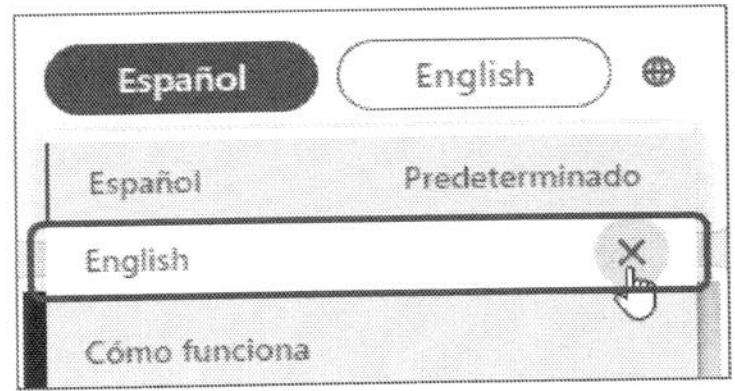

Preste atención: es frecuente ver perfiles en un idioma con la experiencia laboral completa en otro idioma. ¡Recuerde que debe ser coherente!

K. Mostrar su oferta de servicios

La oferta de servicios se ha diseñado para ayudar a los gerentes de empresas pequeñas y a los autónomos a ser identificados y contactar con ellos más fácilmente para contratar sus servicios. La ventaja de este módulo es que se coloca directa e idealmente en el encabezado, lo que significa que sus áreas de especialización se identifican en un abrir y cerrar de ojos.

¿Cómo se presenta?

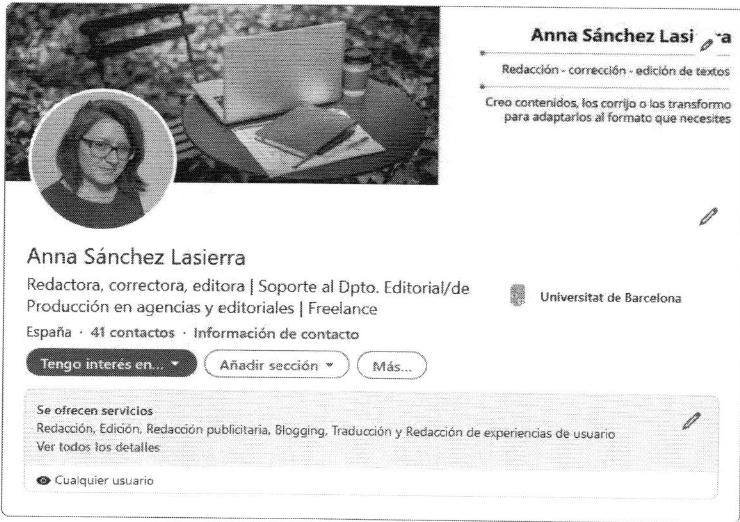

¿Cómo hacer que aparezca?

✎ En su perfil, haga clic en el botón **Tengo interés en** y vaya a la sección **Ofrecer servicios**.

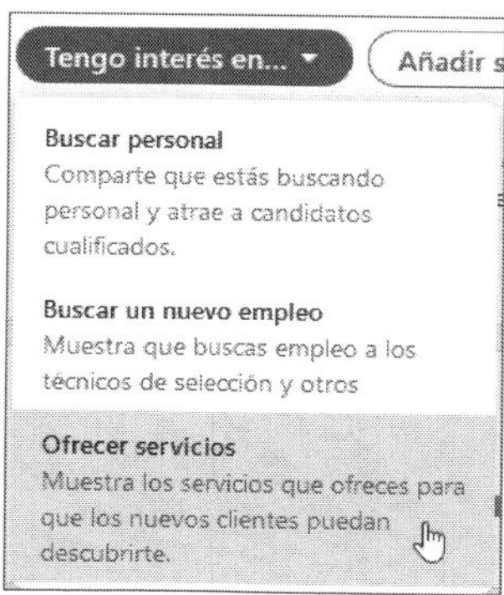

Se abre una ventana que esquematiza el proceso; haga clic en el botón **Continuar**.

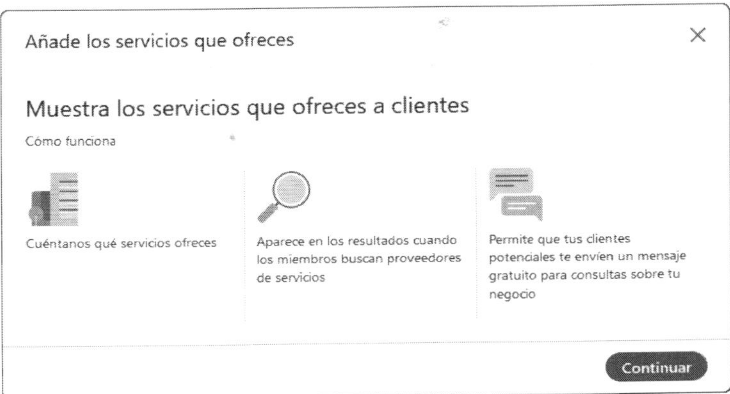

A continuación, se mostrará un recuadro específico en el que se le invitará a comprobar y completar los elementos que desea que se muestren en su perfil.

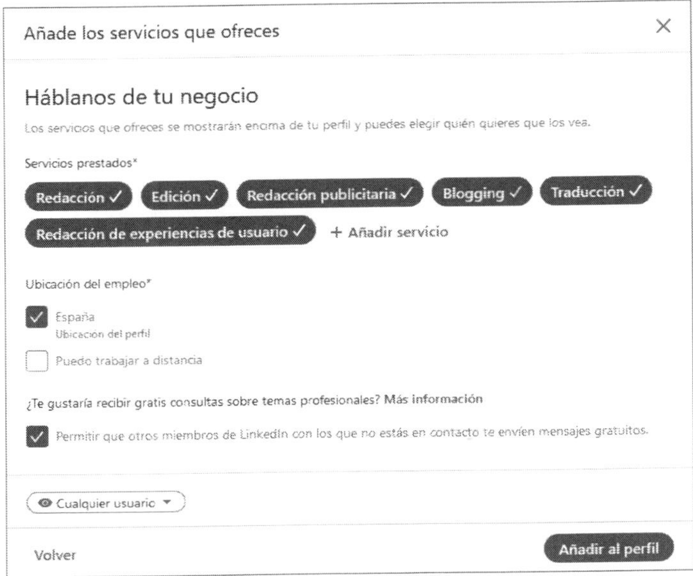

- Compruebe los diferentes campos propuestos y marque las casillas que correspondan.

  Los servicios prestados ya han sido insertados por LinkedIn en función de su sector de actividad; seleccione los más relevantes o haga clic en **Añadir servicio** (que estará siempre en línea con su actividad).

- Haga clic en **Añadir al perfil** una vez finalizado.

Tenga en cuenta que existen 15 categorías de sectores de actividad (Asesoramiento y orientación, Consultoría, Contabilidad, Derecho, Desarrollo de software, Diseño, Eventos, Finanzas, Fotografía, Marketing, Operaciones, Redacción, Reformas, Sector inmobiliario, Seguros, Tecnología de la información) y que, en cada sector de actividad, se pueden añadir al perfil un máximo de 10 servicios. No se pueden combinar diferentes sectores de actividad.

Tras haber cumplimentado debidamente los distintos elementos, aparece una ventana final que le ofrece compartir esta novedad con su red en forma de publicación. Puede aprovechar esta oportunidad para invitar a sus compañeros a utilizar la función o para recordarles a sus clientes y posibles clientes lo que usted ofrece.

Por ejemplo, imagínese una publicación de este tipo:

«¿Estás buscando una redactora web muy potente?

Acabo de agregar a mi perfil esta fantástica información y aprovecho para recordarte que estoy disponible para tareas de redacción web (redacción, revisión, corrección y optimización SEO). ¡Hablemos de tus proyectos!»

Le corresponde a usted dar alas a su inspiración; es importante que no olvide el hashtag específico #OpenForBusiness (con más de 7000 suscriptores).

Cuando alguien realice una búsqueda de perfiles en el motor de LinkedIn, su perfil resultará visualmente atractivo con esta oferta de servicios y destacará entre sus competidores en los resultados de búsqueda.

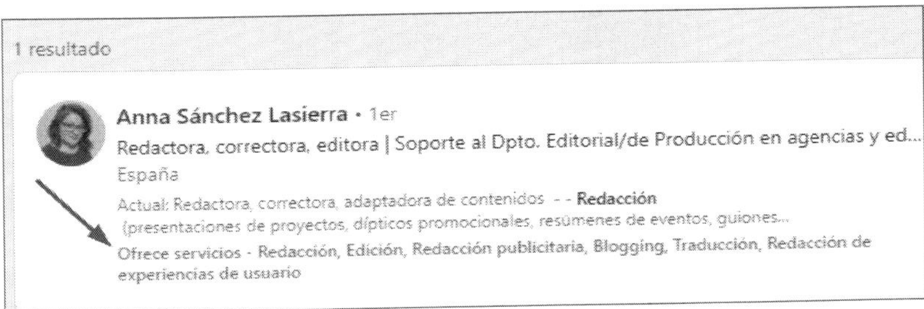

- También puede editar los servicios propuestos haciendo clic en el icono del recuadro.

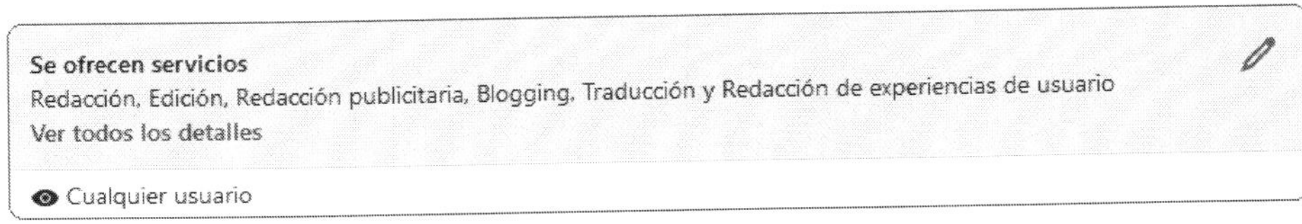

Observación: en el momento de redactar estas líneas, el cuadro **Ofrecer servicios** (que la ayuda de LinkedIn denomina «servicios de Showcase») se estaba implementando gradualmente, por lo que es posible que usted no pueda visualizarlo directamente desde su perfil.

Para habilitar dicha función, es preciso que realice la petición «Become a Service Provider» solicitando su adhesión al grupo SMP (https://www.linkedin.com/groups/8871270/). La admisión es rápida y, en el plazo de 48 horas pasará a estar accesible la opción **Ofrecer servicios**. No obstante, esté atento a las indicaciones de LinkedIn, ya que es probable que este modus operandi cambie próximamente.

Para más información, consulte:
https://www.linkedin.com/help/linkedin/answer/109982 y
https://www.linkedin.com/help/linkedin/answer/127395?src=li-other&veh=www.linkedin.com%7Cgo-pa&trk=sem_lss_gaw

Cuando esta función está habilitada, los miembros podrán filtrar sus búsquedas en LinkedIn seleccionando los servicios que les interesan. En el caso que nos ocupa, hemos publicado varios servicios: alguien que introduce una de las palabras clave o simplemente el término «contenido» o «redacción» obtiene resultados mucho más relevantes.

¿Cómo hacerlo?

✎ Escriba la palabra clave que le interesa en la barra de búsqueda:

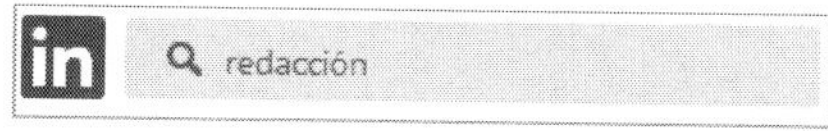

✎ Haga clic a continuación en **Todos los filtros**:

Personas ▾ | Contactos ▾ | Empresas actuales ▾ | Ubicaciones ▾ | Todos los filtros

- Si no se muestra un servicio ofrecido, introduzca las palabras clave en el recuadro específico donde está indicado **Añadir una categoría de servicio**.

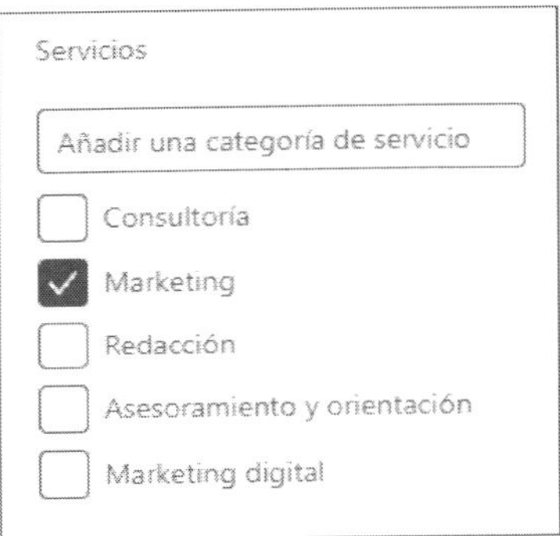

A continuación, verá que los resultados muestran en negrita el término de búsqueda principal elegido; en nuestro ejemplo, el de «redacción» (también el de «contenidos», que se halla en la oferta de servicios seleccionados para mi investigación. Las personas que ofrecen este servicio atraen visualmente la atención gracias al símbolo que se muestra debajo de su experiencia.

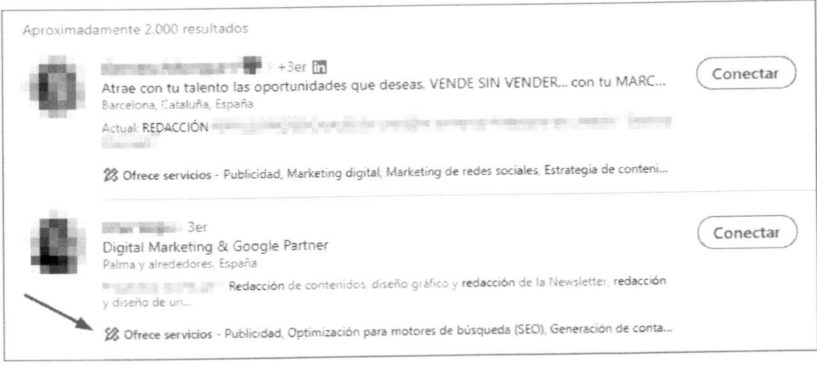

Con la presentación de sus servicios desde el encabezado del perfil, ya solo puedo recomendarle que cuide su titular, su banner y su foto, ya que son la primera información que los usuarios «leerán» sobre usted. Pasará a ser más accesible y aumentará sus posibilidades de obtener oportunidades profesionales gracias a este «anuncio» insertado y su ubicación privilegiada.

L. Antes de terminar

El botón **Añadir sección** aparecerá en el encabezado a medida que complete su perfil. Al hacer clic en cada sección, verá sugerencias de LinkedIn para mejorar. ¡Tómese el tiempo suficiente para echar un vistazo!

✎ Despliegue cada sección para ver lo que puede completarse o mejorarse.

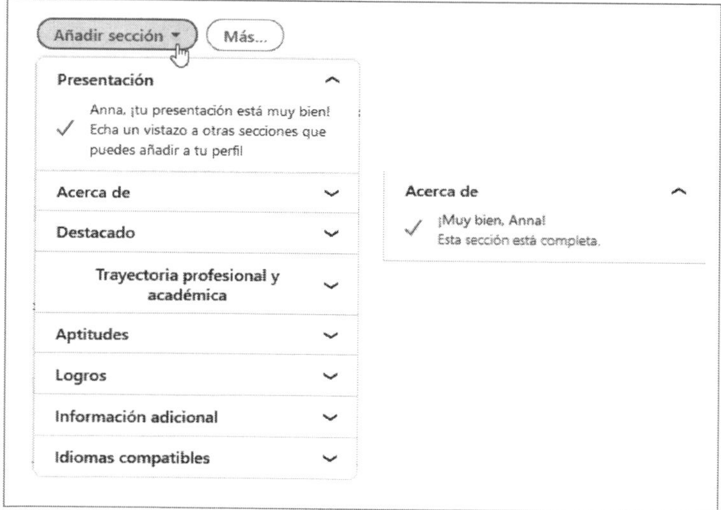

Algo que vale la pena saber: un perfil completo al 100 % recibe 40 veces más oportunidades a través de LinkedIn (https://content.linkedin.com/content/dam/me/linkedinforgood/en-us/resources/youth/HANDOUT---How-to-Network-for-Students.pdf)

M. Conclusión

Como habrá comprendido a estas alturas, su perfil es mucho más que un simple curriculum vitae. Se trata de un auténtico escaparate profesional; una invitación a descubrir su universo y multitud de ocasiones para darse a conocer. Adquiera el hábito de actualizarlo regularmente, de nutrirlo y mejorarlo. Los pequeños detalles cuentan; basta con que falte un dato para que un visitante se decante por ojear el perfil de otro candidato en vez del suyo. A partir de ahora, su perfil va a erigirse en el punto de partida de su estrategia comunicativa: debe, pues, convertirlo en un espacio tranquilizador, cuidado y convincente, de forma que sus mensajes susciten la misma confianza que inspira su perfil. En el último capítulo aprenderá a sacar partido de otro aspecto del potencial que ofrece su perfil: la comunicación.

Jamás tendrá una segunda oportunidad
de causar una buena primera impresión.

David Swanson

Capítulo 2
Comunicar en la red

A. Introducción

Comunicar significa comenzar una relación. Crear un vínculo. Si abordamos la comunicación en el segundo capítulo de este libro es porque sirve de punto de unión entre su perfil y su red. Sin un perfil optimizado, no hay una comunicación de calidad; sin una comunicación de calidad, no hay una red cualificada. Y, sí: si su perfil es el portavoz de su marca personal, la comunicación es el eco de su experiencia, su saber hacer, su oferta, sus servicios.

Cómo se comunica revela lo que hace, quién es usted en su trabajo diario. Paso a paso, la comunicación se convierte en un carné de identidad que le permite establecer su presencia y dar forma a su voz y sus palabras para sensibilizar, despertar e involucrar. Y este es el objetivo de la comunicación: hacer amar, hacer reaccionar. Esa es la belleza de la comunicación: este vínculo entre usted y su público.

Para convertirse en un buen comunicador, es preciso amar: la comunicación no es sino un acto de seducción. Una conquista. Comunicarse le permitirá influir a su manera en los lectores y, con el tiempo, incrementar su carisma y su aura profesional... hasta conseguir resultar memorable.

B. ¿Por qué publicar en LinkedIn?

LinkedIn es una excelente herramienta de publicación para cualquier profesional que quiera promocionar su oferta, construir su identidad de marca, desarrollar una comunidad de suscriptores o incluso alcanzar nuevos objetivos. Al igual que un blog, esta red le permite mantener vínculos privilegiados con su audiencia y comprender mejor sus intereses.

He aquí cinco grandes beneficios de comunicarse con LinkedIn:

- Cuanto más publique, más se posicionará como un experto en su campo y más credibilidad ganará.
- Obtendrá más solicitudes para unirse a su red (si su contenido es de buena calidad), lo que le brinda más ocasiones de obtener oportunidades profesionales y llegar a las personas adecuadas.
- Su red puede compartir sus publicaciones, lo que aumenta su alcance, pero también puede comentarlas, lo que fomenta las interacciones y promueve la toma de conciencia.
- No tiene que buscar nuevos suscriptores, ya que aparece un botón **Seguir** en todos los perfiles y permite que cualquier persona fuera de su red reciba sus publicaciones en sus noticias.
- Sus publicaciones son visibles en los resultados de búsqueda de LinkedIn y en Google (solo artículos, no publicaciones todavía).

C. Oferta, público objetivo y posicionamiento

1. Formular la oferta

Para comunicarse bien, primero debe ser capaz de articular claramente lo que está proponiendo. ¡Este ejercicio no es nada fácil! Debe conocer bien su oferta antes de lanzarla: determine qué necesidades cubre, qué problemas resuelve, a qué tipo de personas se diriges y qué argumentos utilizará para convencer a su interlocutor de la naturaleza esencial de sus servicios.

Como herramienta auxiliar para trabajar en su oferta, puede utilizar la «técnica del pitch», una forma de pequeño argumentario exprés que sintetiza un proyecto, una misión o una idea. Imagínese que está frente a una persona, por ejemplo entre dos estaciones de metro, y que tiene dos minutos para despertar su curiosidad. ¿Qué información esencial cree que debería compartir con ella? ¿Qué rasgos distintivos de sus servicios harán que esa persona sienta un flechazo por usted y lo diferenciarán de sus competidores? ¡Sea simple, claro y contundente!

2. Identificar su objetivo

Concentre sus esfuerzos prioritariamente en una pequeña audiencia a la que esté seguro de poder alcanzar. Es mejor identificar un objetivo nuclear principal que pueda expandir más adelante. Muchos piensan erróneamente que es mejor apuntar a lo ancho, pero hablar con todo el mundo es como no hablar con nadie.

Por ejemplo, uno de mis clientes en LinkedIn, una pequeña agencia de eventos, se dirige a *office managers, directores de marketing y directores de recursos humanos de pymes* y toda su comunicación está orientada a captar su atención.

Objetivo: en marketing, lo que hay que tocar para no hundirse.

Marie-Anne Dujarier

¿Por qué es importante?

Si desea generar *engagement* con sus publicaciones (recomendaciones, comentarios, «Compartir») y *feedback* (solicitudes de conexiones, seguimiento de su perfil, nuevas oportunidades profesionales), su mensaje debe adaptarse a un público que entiende de qué está hablando, que está interesado en lo que ofrece, porque usted conoce sus expectativas específicas y sabe cómo cumplirlas.

Por el contrario, no conocer a su público es publicar contenido innecesario que no llegará a las personas adecuadas, incluso aunque sea de mucha calidad. Antes que nada, el contenido debe ser útil a su público.

CINCO BUENAS RAZONES PARA DEFINIR SU OBJETIVO

1. Asegurarse de que produce el contenido adecuado para las personas adecuadas
2. Convertirse en una autoridad en su campo y diferenciarse de su competencia
3. Crear, involucrar y fidelizar a una comunidad de suscriptores
4. Convertir a su público en embajadores de su empresa/marca, transmitiendo su contenido
5. Desarrollar un «vivero» de nuevos clientes interesados en sus publicaciones y, por tanto, en su *expertise*

3. Definir su posicionamiento

Una vez definido su público objetivo, tendrá que pensar en su posicionamiento, es decir, el lugar que ocupará su marca o negocio en la mente de su público frente a sus competidores. Para ello, trabajará en las fortalezas de su oferta, aquellas que deberá enfatizar para convencer a sus clientes potenciales de que lo llamen.

Esta declaración de posicionamiento debe formularse en una oración simple, comprensible y creíble. Pueden servirle de ayuda estas cuatro preguntas clave:

- ¿Qué ofrece?
- ¿Para quién?
- ¿Qué problemas resuelve, qué necesidades satisface?
- ¿Qué hace que su solución sea única, qué es lo que lo diferencia?

He aquí un modelo:

[su marca/su empresa] ofrece

a/a los [su público objetivo]

un(os) [producto(s)/servicio(s)]

que tiene [determinadas especificidades]

y que ofrece [estos beneficios]

Por ejemplo: ofrezco a ***emprendedores y autónomos*** *servicios de redacción creativa,* ***original y a medida****, que van desde el* ***asesoramiento a la creación****, así como* ***soporte remoto*** *para conseguir* ***una comunicación profesional estructurada*** *y* ***optimizar su visibilidad****.*

La idea es apoyarse en las características distintivas de sus servicios o prestaciones, en lo que hace mejor, de manera diferente o más allá de lo que ofrecen sus competidores. Entre los elementos diferenciadores, podemos encontrar precio, calidad, especialización, novedad, rendimiento, facilidad de uso, personalización, productividad, etc.

Este paso es crucial si desea comunicar de manera coherente y relevante sobre el valor añadido de su oferta, crear una comunidad que se reconozca en sus contenidos y que esté comprometida con lo que rodea a su empresa.

El posicionamiento es, por tanto, garantía de identificación y diferenciación. En contraposición, un posicionamiento confuso o incierto puede hacer que sus mensajes creen confusión, no se entiendan y que nadie se reconozca en ellos realmente.

El posicionamiento es más potente que la imagen en el sentido de que constituye de entrada SU máxima distinción (la de usted) ante los ojos y acciones de sus clientes –potenciales o confirmados–, lectores... Una persona elige comprar ESTA marca o en ESTA tienda porque el posicionamiento de dicha marca (al margen de que sea independiente o franquiciada) CORRESPONDE precisamente a lo que espera. Quizás sea la calidad ejemplar del servicio posventa, o un verdadero asesoramiento a medida en prêt-à-porter. *En todos los casos, la marca habrá elegido ESTE posicionamiento y se comprometerá con todo su ADN a asegurarse de respetarlo para llegar al «corazón» de su público objetivo.*

Anne Dubois Dos-Santos, formadora y acompañante «vitaminada» en Comunicación, Marketing Digital y Personal Branding

(https://www.linkedin.com/in/anne-dubois-dos-santos/)

Los distintos componentes del posicionamiento:

D. Diseñar la estrategia editorial

La línea editorial es el hilo conductor de su comunicación y su área de expresión. Exactamente, ¿para qué sirve?

- para orientar sus contenidos,
- para afirmar su identidad profesional,
- para garantizar una coherencia en la redacción,
- para concretar su forma de expresarse.

Pasemos a la práctica. Para diseñar una línea editorial eficaz, es preciso seguir varias etapas:

- ¿Cuál es su objetivo al publicar contenido en LinkedIn? Dar a conocer su *expertise*, lanzar una nueva oferta, iniciar su actividad, aumentar su visibilidad y su red, etc.
- ¿Qué objetivo quiere alcanzar (por orden de prioridad)? ¿Qué está buscando? ¿Cuáles son sus necesidades? ¿Qué percepción de su oferta quiere transmitir?
- ¿Cómo se expresan sus competidores?
- ¿Cómo puede diferenciarse? Es decir, ¿cómo posicionarse para que su contenido sea único, innovador e interesante?
- ¿De qué va a hablar, cuáles son los temas que idealmente esperan sus lectores: consejos para compartir, respuestas técnicas, buenas prácticas, información sobre su empresa (cifras clave, eventos, libros blancos, etc.), testimonios, aspectos pedagógicos...?
- ¿Qué formato de entrega es el más adecuado para alcanzar su objetivo: vídeo, publicación, artículo, elemento visual...?
- ¿Qué tono utilizará según su sector: divertido, pedagógico, amistoso, clásico, experto...?

Tenga en cuenta que el estilo adoptado se convertirá en su «marca de fábrica», por lo que debe ser reconocible y coherente con su imagen profesional.

Un objetivo vago solo puede conducir a una tontería muy precisa.

Frédéric Dard, escritor

Para que su estrategia funcione bien, es mejor que utilice un calendario editorial. Le permitirá mantener el ritmo de publicación y tener una visión global del contenido que debe producir. También es una gran herramienta para controlar el rendimiento de sus publicaciones en el tiempo. He aquí un ejemplo que yo utilizo y que resulta muy simple; muchos agregarán una columna de porcentaje de evolución, etc. Depende de usted decidir qué añadir o quitar en función de sus objetivos.

Fecha de publicación	Día	Hora	Tema	Formato	Número de vistas	Número de veces compartido	Nuevas solicitudes de conexión obtenidas
01/12/2020	Martes	7:30	Aumentar su visibilidad en LinkedIn	Post	1300	7	10

E. ¿Cómo y sobre qué comunicar?

Cultivar su singularidad es el elemento más importante que debe tener en cuenta para destacar entre la multitud de contenidos en LinkedIn porque usted es único y tiene que seguir siéndolo; porque la comunicación es como su huella digital: le permite ser reconocible a través de sus publicaciones.

Sea usted mismo: todos los demás ya están tomados.

Oscar Wilde

Todos los días, gente como usted y yo acudimos a LinkedIn en busca de ideas, información, contenido de expertos, retroalimentación, fuentes de inspiración que nos ayuden en nuestros proyectos, en nuestras misiones; para avanzar, para ver las cosas de manera diferente, desde otro punto de vista o con mayor precisión.

A muchas personas esta red puede transmitirles la imagen de ser una plataforma un tanto rígida y formal que ralentiza los primeros pasos del comunicador. Sin embargo, le puedo asegurar que es posible instruir correctamente e informar de forma inteligente mientras brinda placer y emociones, ¡incluso en una red profesional! Porque, recuérdelo: al otro lado de la pantalla, sus lectores son simplemente humanos.

Así pues, ¿qué es lo que conseguirá que su comunicación sea notable?

Por un lado, la relevancia y calidad de su contenido, que lo posiciona como un especialista en su campo –los lectores deberían decirse a sí mismos que usted ha dado en el clavo, que conoce su tema–; por otro lado, las emociones que transmite. Sí, la comunicación es un encuentro entre usted y un público. Un encuentro es una emoción. Esto es lo que va a desatar en sus lectores que le permitirá diferenciarse de su competencia, porque cada vez que los haga sonreír, los desafíe, los emocione, los cuestione, los involucre, inmediatamente lo estarán asociando a usted, en su interior, con ese estado emocional particular que les hizo experimentar.

Y esta emoción es el comienzo de un vínculo fuerte, de una relación duradera. Cuando toca a tus lectores en el corazón, no solo le recuerdan, sino que reaccionarán con mayor regularidad a su contenido e incluso compartirán con los demás lo que ha podido provocar en ellos: «¿Has leído el artículo XXX? Me he reconocido a mí mismo en esa historia». ¿Cuántos de ustedes se han expresado alguna vez de este modo? Seguro que muchos.

A pesar de la virtualidad, las personas que están en LinkedIn buscan, ante todo, el contacto humano. No ceda a la tentación de imitar el tono de nadie más. Su voz es única, incluso aunque le parezca imperfecta. Solo hay una forma de desencadenar las emociones, y es hablando sin artificios, con la propia voz.

Hanna Grochocinska, copywriting y estrategia de contenidos

(http://www.linkedin.com/in/hanna-grochocinska-copywriter/)

En realidad, es bastante simple. Supongamos que ha logrado causar un efecto adictivo, de dependencia, que hace que sus lectores adopten una postura de espera entre sus diferentes publicaciones. Como si se tratase de un folletín por entregas, ha despertado su interés y su apego. En LinkedIn, con frecuencia vemos autores que conciertan citas con sus lectores: publican entradas temáticas (construidas como si fuesen episodios), cuyas entregas se efectúan en una fecha fija y que son eficaces para fidelizar a los lectores. Por ejemplo, vi cómo un *copywriter* en mi red lanzó 24 publicaciones sobre cómo aprender redacción publicitaria en un minuto al día para, al final, crear un artículo íntegro y completo: una idea genial que entusiasmó a su red.

La idea es que la historia que cuente en su publicación se refiera a una situación en la que su público se reconozca y pueda decirse: «¡Guau! Esto es exactamente por lo que estoy pasando, cómo me siento, o lo que necesito». A la hora de crear contenido, le aconsejo que dé ejemplos prácticos y los contextualice para que sus lectores puedan entenderlos fácil e inmediatamente.

También puede hablar de sus fracasos, de lo que experimenta a diario en su vida profesional, porque cada experiencia vivida puede servir de consejo o de lección. Seguro que tiene una historia que contar y, aunque le parezca insignificante, puede activar en sus lectores un paralelismo con su propia experiencia; este tipo de mensaje tiene su lugar en LinkedIn, siempre y cuando no caiga en una comunicación sobreactuada que falsee su autenticidad.

Las emociones, en definitiva, desempeñan un papel preponderante en la memorización de contenidos. Sin embargo, solo deben servir para reforzarlos; en ningún caso pueden reemplazar la calidad y la relevancia de la información que esperan por los lectores. Por lo tanto, hay que ir más allá de las emociones que brinda y tallar contenido que responda perfectamente a sus necesidades.

La comunicación también es atreverse a ser audaz. No le estoy hablando de intentar conmocionar o de asaltar palacios, no. Lo que le propongo es salir de los caminos trillados. Si publica algo que ya se ha leído y releído, corre el riesgo de aburrir y perder audiencia. De hecho, la audacia es esa forma de impertinencia inteligente que le permite ir a contracorriente respecto a su competencia y abordar un mismo tema desde una perspectiva que marca TODA la diferencia. La audacia es este toque de creatividad e innovación que podrá aportar a sus publicaciones para desmarcarse de los mensajes prefabricados y participar en la apertura de la mentalidad de su público. Tiene la responsabilidad, como creador de contenido, de aportar valor, estimular y nutrir el interés de su audiencia con publicaciones útiles, atractivas y originales. Al final, así es como ganará legitimidad, reconocimiento y fidelidad.

En este contexto de diferenciación, es fundamental que se encarne su negocio, que transpire su razón de ser para que su público se adhiera a lo que usted transmite. Sea usted mismo, sea un quebradero de cabeza para su competencia imponiéndose con lo que es, con la ventaja adicional de su *expertise*. Amamos siempre lo que se sale de lo común, cuando un contenido se presenta con una mirada fresca y conduce a una auténtica reflexión.

Para mejorar su estilo de escritura y enriquecer su vocabulario, le recomiendo que lea mucho y con frecuencia. También ganará en espontaneidad con la pluma escribiendo todos los días, aunque sea unas pocas líneas. Así es como ganará confianza en sí mismo y facilitará la preparación de su contenido.

Finalmente, le invito a no querer tocar la perfección a toda costa y a lanzarse ya. Su red apreciará este impulso; incluso será su mayor apoyo y lo animará a seguir adelante. De hecho, todos hemos pasado por un primer artículo, una primera publicación, por esta aprensión de no saber si nuestras publicaciones encontrarán eco. No se complique, presente las cosas con claridad y constatará que la aprensión no sirve de nada; basta con comenzar.

1. ¿En qué temas intervenir?

Dependiendo de su objetivo, le propongo algunas ideas de contenido para explorar. Si es bilingüe, le aconsejo que consulte periódicamente los artículos de sus colegas extranjeros, que también le pueden inspirar. No hablo de traducción, sino de ejes que puede utilizar para abordar una temática común.

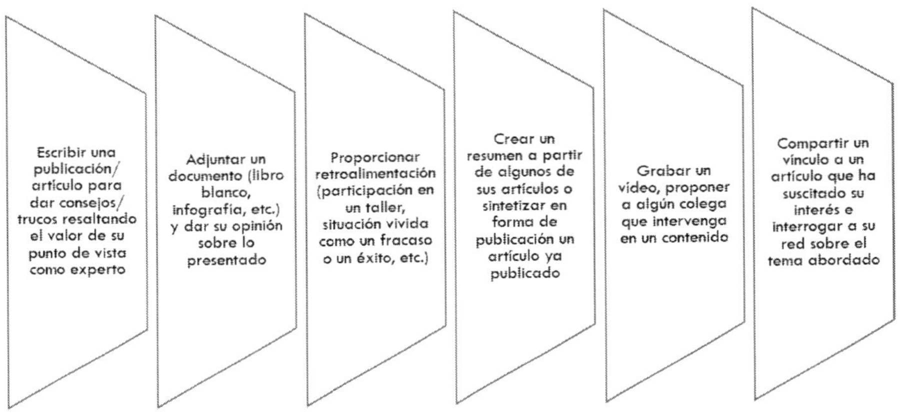

Ejemplos concretos

- Si es estudiante, podemos suponer que está buscando la atención de posibles técnicos de selección; técnicos que seguramente verán su actividad en LinkedIn para observar cómo interactúa con la red, si le gusta compartir sus ideas, recopilar y transmitir. Puede compartir un proyecto que ha liderado, unas prácticas que lo han marcado y lo que ha retenido de esa aventura; puede dar su punto de vista sobre un libro que influyó en tus estudios, consejos sobre cómo gestionar su presupuesto durante la etapa estudiantil, etc.
- Si estaba en proceso de reconversión profesional, estaría bien que elaborase publicaciones para afianzar su nueva área de *expertise* y establecer un vínculo entre su experiencia anterior y la nueva en forma de lecciones aprendidas. Puede comenzar invitando a su red a descubrir su blog corporativo y a suscribirse a él, presentar sus servicios y mostrar por qué son de interés para los usuarios, explicarles qué le hizo cambiar de orientación, etc.
- Si es emprendedor, buscará desarrollar su visibilidad, darse a conocer y dar mayor peso a su credibilidad. Puede resaltar el valor de su último logro o cargo y dar las gracias al cliente que confió en usted (en caso de que tenga presencia en LinkedIn, pregúntele antes si puede mencionarlo), publicar un artículo de experto dando consejos, compartir su asistencia a una feria o taller y lo que aprendió en él, etc.
- Si es comercial, sus contenidos tendrán como objetivo atraer e involucrar a clientes potenciales. Puede presentar un aspecto específico de su oferta invitando a los miembros a dar su opinión, publicar un vídeo en el que utilice su propio producto, crear un libro blanco o un e-book para mejorar el conocimiento de su público sobre una tendencia en su mercado, etc.

2. ¿Cómo recopilar ideas para contenidos?

Encontrar temas de los que hablar puede ser un dolor de cabeza a largo plazo. Aun así, existen diferentes formas de despertar su creatividad e inspiración, sabiendo que esta lista es una base. Particularmente, usamos mucho la función de búsqueda de contenidos en LinkedIn y también nos hemos suscrito al perfil de *influencers* de nuestra especialidad.

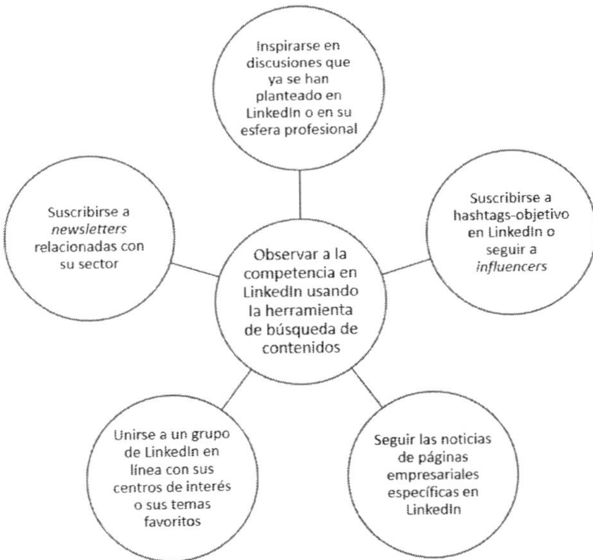

Al final, siempre volvemos al mismo punto: la necesidad de mantener el interés de nuestros lectores en el tiempo. Por mi parte, leo con mucha atención los comentarios de mis suscriptores; es una gran fuente de información y de inspiración. Y puedo asegurarle que, cuanto más útil sea su contenido, más comentarios le harán. A la red le gusta compartir su punto de vista cuando se siente interpelada e involucrada con su contenido.

F. Redactar un artículo

Publicar un artículo le permite posicionarse como un experto en su campo, fortalecer su credibilidad e impulsar su reputación. Cuando publica un artículo, aparece un recuadro de forma permanente en su perfil que destaca, interpela y que es un reclamo para que los demás se interesen por usted. ¡Y podemos decir que surte efecto! Se trata de un elemento que siempre miramos en los perfiles que consultamos.

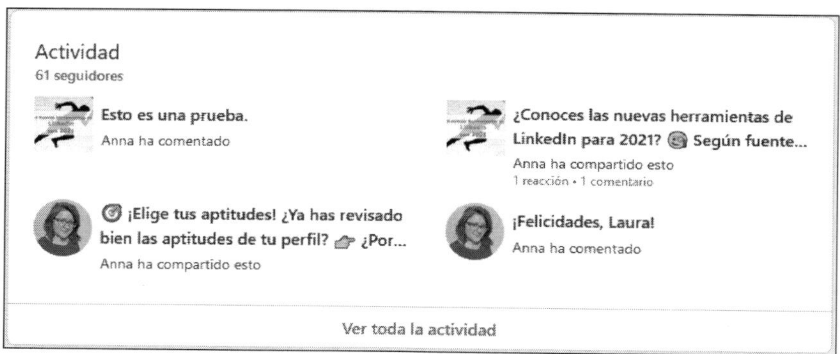

El artículo es ideal para profundizar en un tema y aportar valor (el de usted) a la red. Podrá explicar, demostrar, convencer, incitar, inspirar y comprometerse como autor. No hay límite de caracteres; sin embargo, tenga en cuenta que entre 1600 y 2000 palabras es un buen promedio para un artículo.

✎ En su página de inicio, haga clic en **Escribir artículo**.

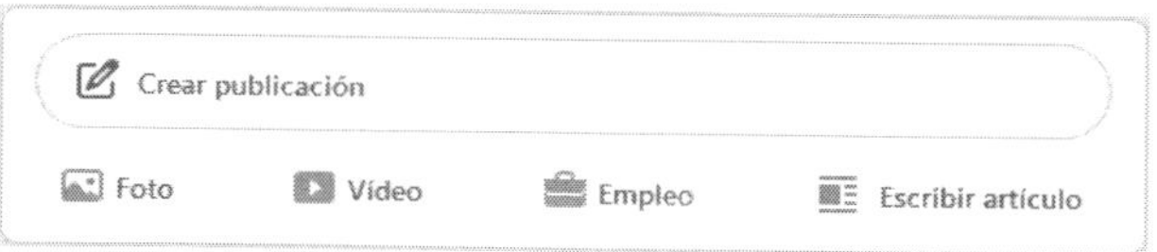

✎ Se abrirá la interfaz de elaboración de un artículo.

Este es el aspecto que presenta dicha interfaz:

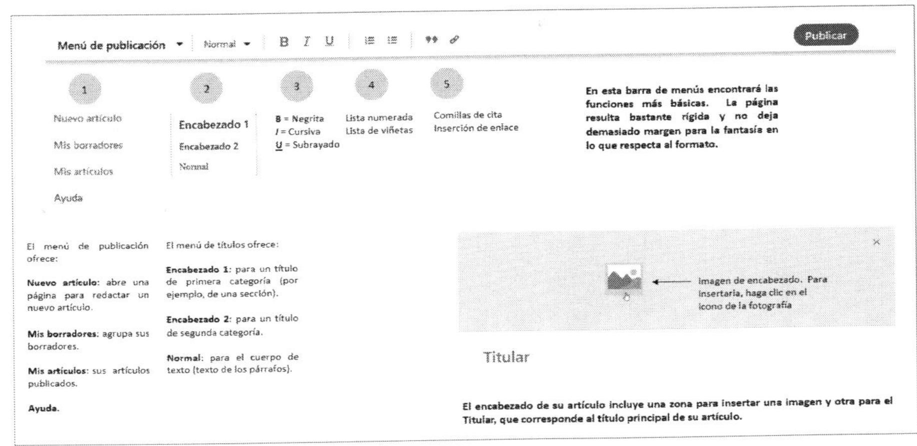

1. Imagen de encabezado

Debe ser llamativa para captar la atención, relacionada con el contenido del artículo y fácil de interpretar (mejor evitar demasiados colores o tipografías, etc.). Utilice el área de créditos y subtítulos para incluir palabras clave relacionadas con la imagen (por ejemplo, consultoría de gestión) o créditos de imagen (si no le pertenece y la ha descargado desde un sitio).

- Para añadir una imagen, haga clic en +. En la ventana que aparece, seleccione la imagen que desea insertar y haga clic en el botón **Abrir**.

✎ Utilice el menú de la parte inferior de la imagen para escoger una de las dos opciones posibles de formato o para eliminar la imagen.

Tome nota:

El límite de tamaño del archivo con la imagen es de 10 MB. Los formatos que soporta son JPG, GIF estático y PNG. El tamaño óptimo de imagen para la fotografía de cubierta es de 2000 x 600 píxeles.

Utilice únicamente fotografías libres de derechos que provengan de bancos de imágenes gratuitos, como:

- Unsplash: https://unsplash.com/
- Pexels: https://www.pexels.com/
- Pixabay: https://pixabay.com/es/

2. El titular

Su titular es muy importante. Asegúrese de que sea claro, conciso y contundente. Debe despertar la curiosidad de los lectores y convencerlos de que el artículo ofrecerá una respuesta a un problema, una necesidad, una pregunta que se les haya planteado.

Por ejemplo:

- 5 buenas razones para estar en LinkedIn
- ¿Cómo impulsar su negocio con LinkedIn?
- ¿Por qué LinkedIn es esencial para su carrera?

Un buen titular tiene una longitud mínima de 40 a 49 caracteres. Lo ideal es que no exceda de 62 caracteres.

3. La introducción

La introducción debe interpelar al lector para que quiera leer más; presentará el artículo, lo situará y brindará algunas precisiones sobre el tema o incluso proporcionará alguna información clave sin revelar demasiado. Su extensión no debe exceder una quinta parte del artículo.

4. El cuerpo del artículo

Utilice los diferentes niveles de encabezado para organizar el artículo y no dude en emplear listas de viñetas o numeradas, estilos tipográficos (negrita, subrayado, cursiva) o comillas para las citas; el texto «respirará» y su lectura resultará más agradable. La jerarquización y la estructuración lógica de las ideas, así como la distribución en varios párrafos, facilitan la lectura «en diagonal» de su contenido.

En el cuerpo de su artículo, puede agregar diferentes tipos de medios: imágenes (que puede haber descargado y guardado con anterioridad en el escritorio de su ordenador), enlaces a un vídeo (YouTube, Vimeo, etc.), diapositivas de presentación vía plataformas (SlideShare, Prezi, inVision, etc.), enlaces a sitios web y fragmentos, que son inserciones que se utilizan para resaltar texto.

En la página de redacción, haga clic en [icono] para insertar elementos visuales y medios.

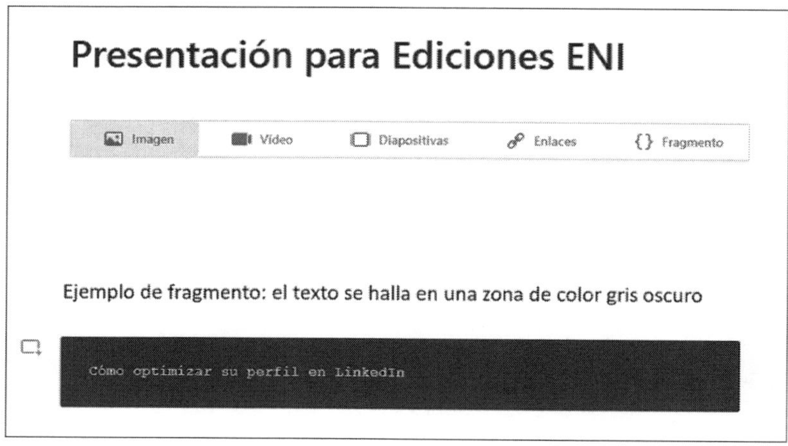

Los elementos visuales son importantes porque ayudan a «compartimentar» el texto y hacen que su conjunto sea más digerible; también es una excelente manera de dar descanso al lector entre dos ideas.

5. La conclusión

Una conclusión efectiva puede resumir las grandes líneas de su artículo, ofrecer otra perspectiva sobre el tema y llamar a la acción, como invitar a los lectores a comentar, compartir y visitar su sitio web, su blog o su perfil. ¡No olvide incluir hashtags específicos!

6. Compartir el artículo antes de su publicación

Tiene la opción de compartir el enlace a su artículo como borrador si desea revisarlo u obtener la opinión de terceros. El destinatario puede copiar el enlace a su navegador y acceder a su artículo, pero no podrá editarlo.

En **Menú de publicación**, haga clic en **Compartir borrador**.

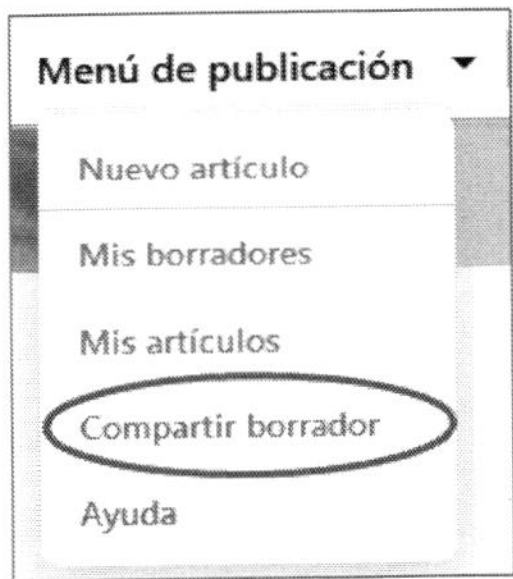

Se abre una ventana en la que se ha generado un enlace, listo para copiarse.

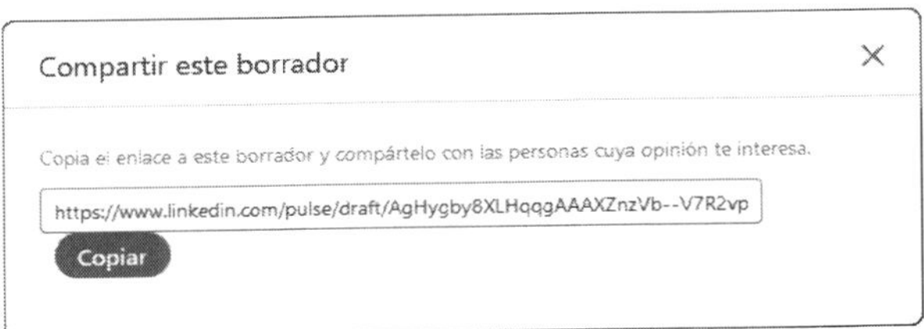

En una frase se especifica que el autor ha compartido su borrador y que el destinatario no tiene los derechos necesarios para distribuirlo sin autorización (esta línea siempre aparece en inglés).

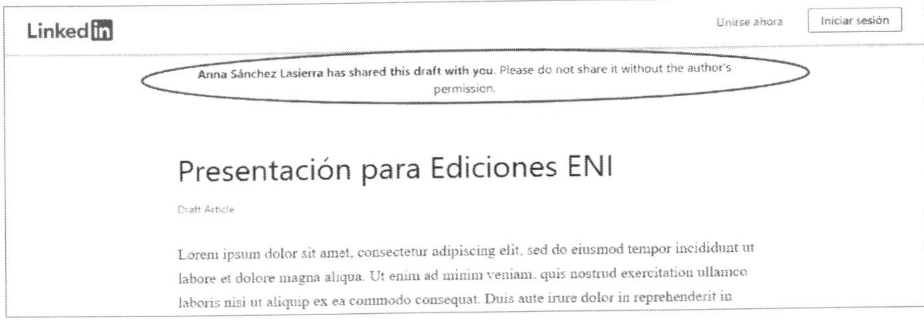

7. Editar un artículo tras su publicación

También puede editar o actualizar el artículo una vez ya ha sido publicado.

- Para ello, retome el artículo que ya ha redactado y haga clic en la opción **Editar artículo**, en la parte superior.

Se abre una nueva página con su artículo.

- Aplique los cambios que considere necesarios y haga clic en **Publicar**. Preste atención: esto no significa que el artículo se vaya a publicar por segunda vez, pero sí se abre una ventana donde puede hacer clic en el botón **Actualizar**.

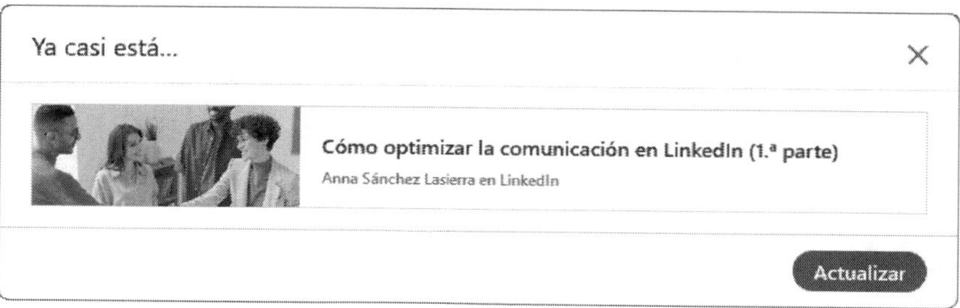

G. Redactar una publicación

Una publicación es una buena manera de comenzar a familiarizarse con este tipo de tareas (escribir y publicar) en LinkedIn. Suele componerse de párrafos cortos, con listas de viñetas o emoticonos para llamar la atención muy rápidamente.

Este formato le permite empezar con un tema sin entrar en detalles, pero con la extensión suficiente como para aportar un valor añadido real (un consejo, una idea, un relato de vida emprendedora, *feedback*, participación en un evento, etc.).

Son muy populares entre los miembros de LinkedIn porque resultan más fáciles de «consumir».

✎ En su página de inicio, haga clic en **Crear publicación**.

Se abrirá la página de redacción.

✎ He aquí cómo se presenta su página de redacción:

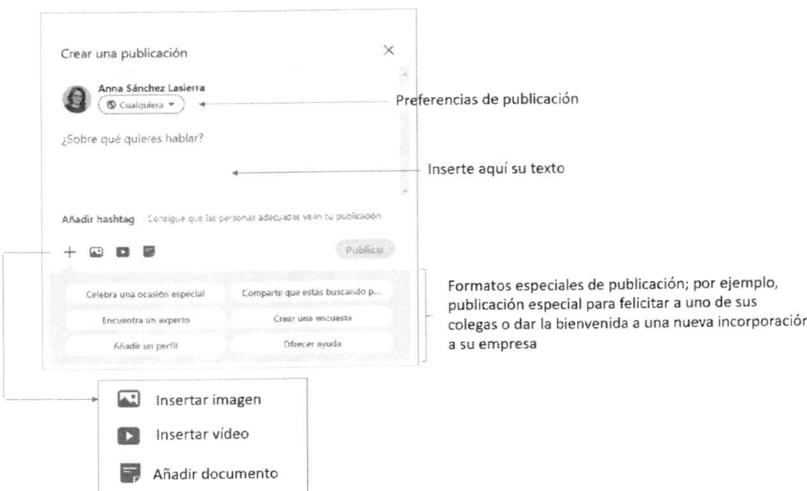

- Haga clic en el botón de **Preferencias de publicación**.
- De forma predeterminada, su publicación se difundirá para todo el mundo. Pero puede elegir compartirla solo con sus contactos de primer nivel, con todo el mundo + Twitter o con algún grupo, en caso de que forme parte de uno de ellos. Seleccione la opción que más le convenga:

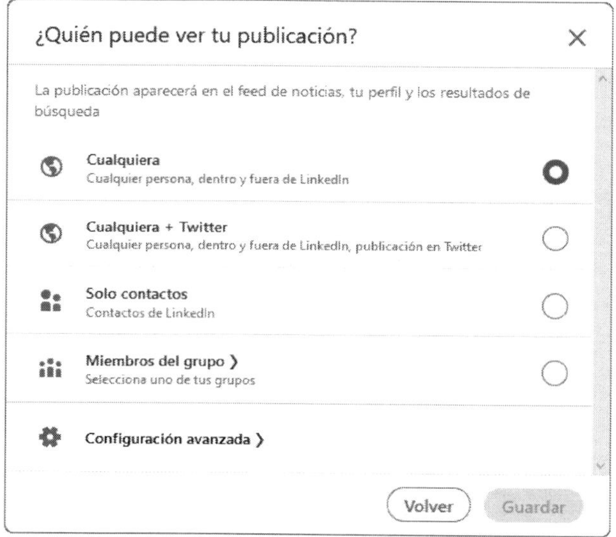

¡Atención!: una vez que ha configurado la visibilidad de una publicación, no podrá cambiarla.

1. ¿Cómo elaborar la publicación?

He aquí un pequeño guion para ayudarle en la tarea. Por supuesto, se trata solo de la base; lo esencial es poder hablar de los temas que son importantes para usted:

- Un título que enganche.
- Presentación de un problema o hecho.
- Algunos elementos clave en forma de lista sobre el tema tratado.
- Una conclusión en la que dé su opinión o invite a sus suscriptores a comentar.

Ejemplo de publicación que sigue estos puntos:

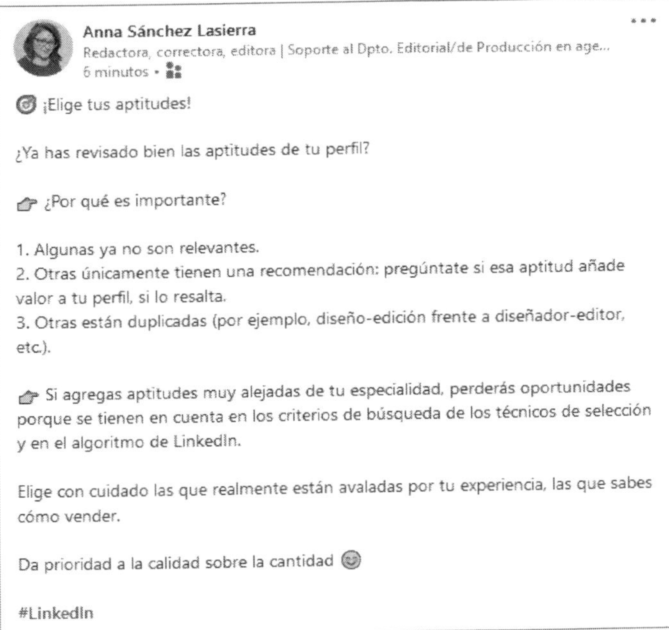

2. Pequeño «FAQ» relacionado con las publicaciones

¿Por qué añadir un título a su publicación?

En el servicio de noticias, un titular que llame la atención permite destacar su publicación de la marea de contenido que aparece cada día. Además, cuando un miembro busca una de sus publicaciones en su perfil, puede identificar más rápidamente la publicación que le interesa. Por último, si ha decidido organizar sus publicaciones en su sección **Logros**, un título ofrece una mejor legibilidad y demuestra que usted cuida su perfil clasificando su contenido con habilidad.

Recomiendo un título sencillo, claro e informativo que se adapte bien a su contenido. Para que sea eficaz, puede estar compuesto por una negación, una afirmación, un adjetivo, una pregunta, un imperativo, una cifra, etc., con objeto de despertar la curiosidad de su audiencia, interpelarla e incitarla a unirse a la conversación. La idea es conseguir que reaccionen de forma inmediata con un gancho que se dirige directamente a ellos.

¿Por qué añadir un número a su publicación?

Si lanza una serie de publicaciones sobre un tema, evitará que sus lectores se pierdan en los episodios de su folletín a medida que pasan las semanas. Para marcar el final de su serie, le recomiendo que resuma cada una de sus publicaciones en un artículo insertando su respectivo enlace para proporcionar una especie de «resumen» de la temporada. Esta es una práctica muy apreciada entre los lectores (especialmente aquellos que se han perdido una de sus publicaciones), ya que así pueden encontrar toda la serie. ¡Un hermoso cofre (del tesoro) con todo el contenido!

¿Por qué «autorrecomendar» su publicación?

Darle a «Recomendar» a su propia publicación o artículo puede parecerle egocéntrico, pero de hecho es más incitativo que otra cosa. Al ser el primero en recomendar su contenido, favorece la participación: es más probable que los lectores recomienden un contenido que ya ha sido recomendado al menos una vez.

¿Por qué etiquetar su propio nombre?

Una especialista australiana en LinkedIn a quien admiro mucho por la calidad de sus contenidos, Karen Tisdell, recomienda etiquetar el propio nombre al final de la publicación (recuerde que la etiqueta de mención en LinkedIn se hace agregando el signo @). De hecho, cuando una persona llega al final de la lectura de una publicación, es posible que su nombre ya no aparezca en la pantalla (un poco como sucede con las tablas de Excel o Word que se distribuyen en varias páginas; si no fija la fila del título, los títulos se pierden). Al etiquetarse al final de una publicación, tiene la garantía de aparecer en la parte superior e inferior; además, será más fácil que los lectores hagan clic de nuevo en su perfil. Karen Tisdell observó que, actuando de este modo, las visualizaciones de su perfil aumentaron en un 28 % y recibió muchas más solicitudes de conexión.

¿Por qué estar disponible desde la primera hora de publicación?

La primera hora es clave para fomentar la interacción con su contenido. Por lo tanto, en cuanto acabe la publicación, es mejor que se queda para responder a los comentarios. Para estimular aún más estas interacciones, otro experto de LinkedIn, John Espirian, aconseja no responder a todos los comentarios a la vez, sino proceder en pequeños lotes. De este modo, la interactuación continúa gradualmente y no cesa de repente.

3. Información esencial que hay que recordar

- Dispone de 1300 caracteres. Sin embargo, limítese à 1280 como máximo si inserta una foto, por ejemplo, ya que LinkedIn toma en cuenta los medios en el recuento.
- También puede usarlo para compartir un artículo, siempre que incluya una línea introductoria o un adelanto que exprese su punto de vista o interés. La idea es demostrar que está atento a contenidos que pueden ser interesantes y que se preocupa por conocer los intereses de su red.

  Por ejemplo:

  «¿Sabes lo que son las Walking Meets? Favorecen la liberación de las palabras, las ideas y la creatividad y están en pleno apogeo en Estados Unidos.

  Un enfoque que me parece interesante porque permite salir de la oficina y practicar un poco de actividad deportiva.

  ¿Has participado en alguna Walking Meet? ¿Qué te parece?

  #WalkingMeeting #Management».

- Al igual que en un artículo, no olvide elegir hashtags dirigidos (entre 3 y 5 como máximo) que facilitarán encontrar su contenido en el buscador de LinkedIn.
- Puede agregar emoticonos para realzar el texto, pero no abuse de las fuentes tipográficas extravagantes (cada vez abundan más), ya que son muy difíciles de leer para el algoritmo. Resultar simpáticas, pero podrían penalizarle.
- Puede agregar un elemento visual, un vídeo, un documento, un enlace a un sitio externo (con la condición de acortar la URL para que la página quede más ordenada). De todos modos, recuerde que al algoritmo de LinkedIn no le gustan las publicaciones que contienen enlaces a sitios externos porque estos enlaces mantienen a los usuarios alejados de la propia plataforma de LinkedIn. Si «incita» a los miembros a salir, será más difícil que su publicación se vuelva viral. En caso de que necesite agregar uno, colóquelo preferiblemente en el primer comentario de su publicación e indíquelo a sus lectores en el cuerpo de texto.

Entre los formatos soportados para los documentos: PowerPoint, Word y PDF. El tamaño del archivo no puede exceder los 100 MB ni las 300 páginas. Por motivos de accesibilidad, los miembros podrán descargar su documento en formato PDF. Es importante mencionar que tiene la posibilidad de editar la descripción de su documento o eliminar la publicación después de que se cargue, pero no puede editar el documento en la publicación.

TOME NOTA:

- Sitio para copiar/pegar emoticonos: https://emojirepo.com/
- Sitio para acortar URL: https://bitly.com/
- Sitio para modificar la fuente por defecto: https://lingojam.com/TextFonts

4. ¿Cómo crear una publicación «carrusel»?

Si desea aportar un poco de novedad a sus lectores, puede comenzar con una presentación en carrusel agregando a su publicación un documento que va pasando como las imágenes de un álbum que se hojea. Este tipo de presentación es interesante porque lo visual capta rápidamente la atención; además, le permitirá atraer a otra audiencia con contenido más creativo y contar sus historias de forma original. También es una excelente manera de diferenciarse de sus competidores en temas comunes.

Un buen consejo es limitar el número de diapositivas o páginas a 10 y reservar este tipo de contenido para reforzar ideas de manera lúdica o para acompañar comentarios explicados en el cuerpo del artículo, en lugar de desarrollarlos en las páginas del documento y correr el riesgo de sobrecargarlo. Puede resultar difícil, pero ¡hay que simplificar al máximo!

Considere convertir sus archivos a formato PDF para garantizar una descarga de mayor calidad. Tenga en cuenta también que las animaciones en los documentos no son compatibles y que se mostrarán como imágenes estáticas.

- Haga clic en **Crear publicación** y use algunas líneas para redactar el tema.

- En la parte inferior, haga clic en el icono .

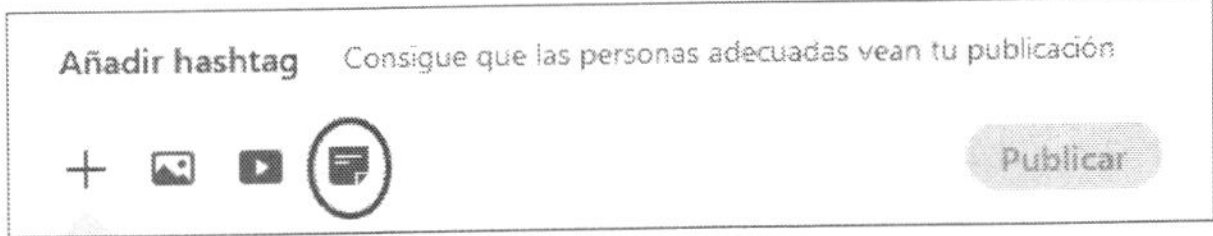

Se abre una ventana para que pueda acceder a la ubicación en la que guarda su archivo.

- Selecciónelo.

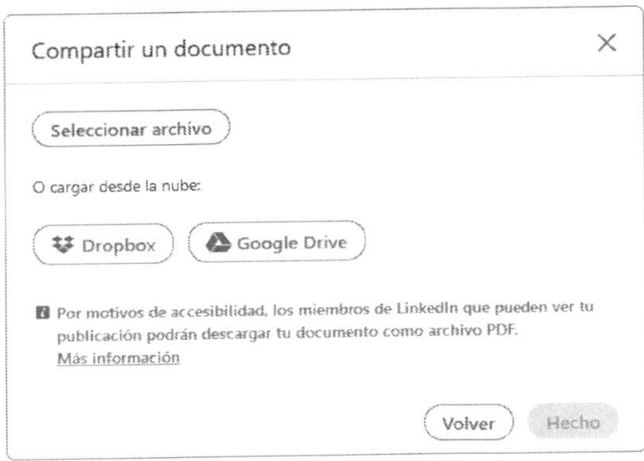

Una vez insertado el archivo, puede darle un título si lo desea.

Compartir un documento

Título del documento *

Añade un título descriptivo al documento

¿Qué aspecto tiene el conjunto? He aquí un ejemplo:

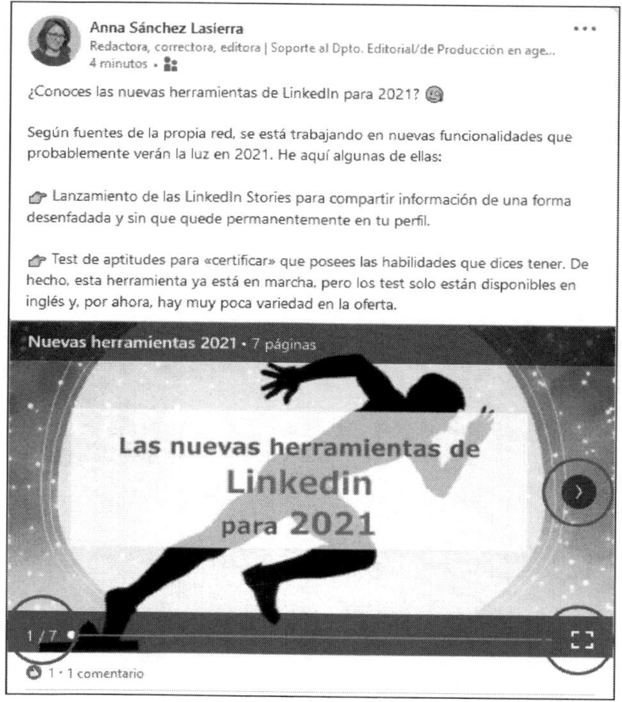

El documento se muestra a medida que se pasan las páginas; para ello, hay que ir haciendo clic en el botón situado a la derecha . En la parte inferior izquierda, se muestra el número de páginas, y a la derecha, un botón permite ver el documento en modo de pantalla completa .

Dispone, por lo tanto, de una potente herramienta de comunicación que se apoya en el soporte visual. Si es emprendedor o director de una empresa, sería preferible que crease un diseño-marco que le permita anclar su identidad en función de objetivos y miembros. Reconocerán sus documentos y fortalecerá su imagen de marca.

¿Cómo encontrar sus documentos?

✎ En su página de perfil, debajo de **Tu panel**, vaya a la sección **Actividad**, haga clic en **Ver toda la actividad** y en **Actividad de** ***«su nombre»***, haga clic en **Documentos**.

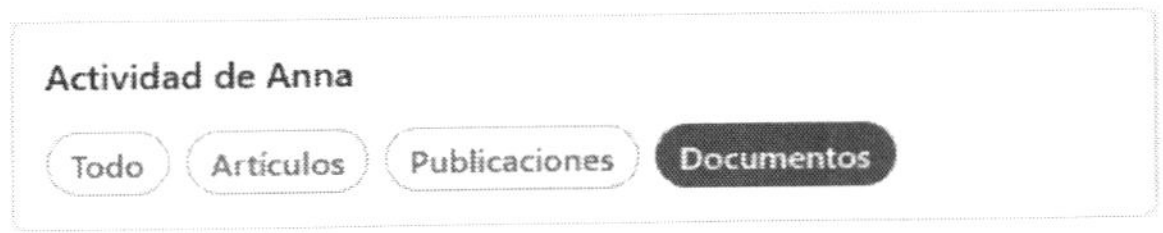

H. Leer los comentarios

Preste atención a las observaciones y comentarios que se dejan en sus contenidos. Permiten generar nuevas ideas al hilo de los argumentos de los lectores, definir áreas de mejora y, por tanto, ajustar las publicaciones futuras para responder mejor a las expectativas y necesidades de sus posibles lectores. Además, es un excelente momento para la convivencia, la interacción y el enriquecimiento. Cabe la posibilidad de que el autor de la publicación seleccione, de entre los miembros que han valorado positivamente la publicación, aquellos que le parezcan más interesantes para invitarlos a unirse a su red, ya sea porque están en un sector de actividad similar o porque leyendo su perfil existen puntos en común o un elemento que pueda gustar, como el estilo de comunicación.

1. Activar las notificaciones para los comentarios

Cada vez que alguien lanza un comentario, indica que le gusta su publicación o menciona su nombre, se le notifica en la barra de menú en la pestaña **Notificaciones**. Asegúrese de que esta opción esté activa para no perderse ninguna discusión.

✎ Para ello, en el menú **Yo** de su página de inicio, haga clic en **Configuración y privacidad**, luego en **Comunicaciones**, en **Notificación automática** y, finalmente, en **Conversaciones**.

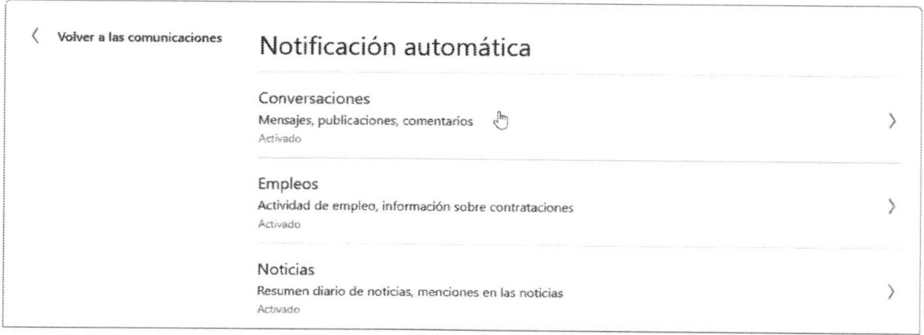

Asegúrese de que el botón **Comentarios sobre tus artículos** esté activado.

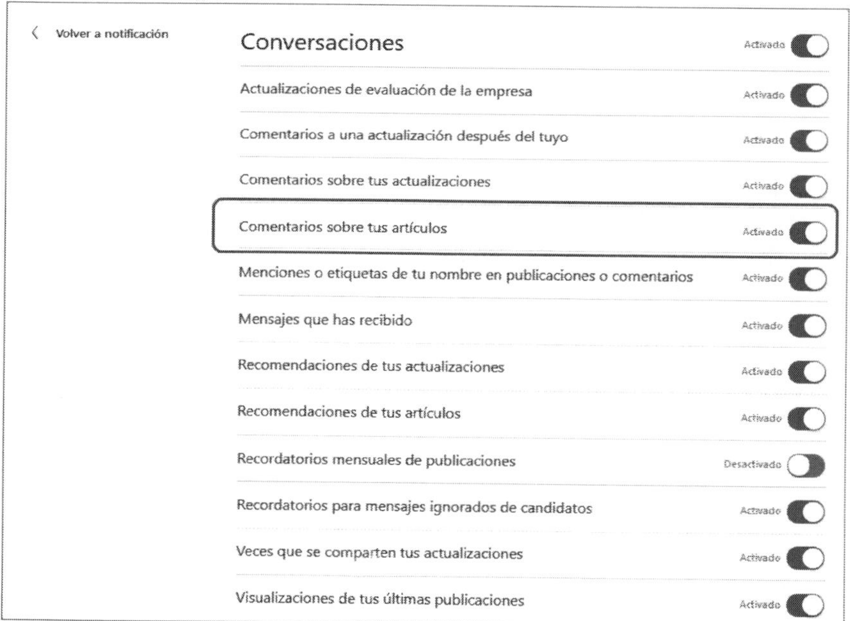

En general, le recomendamos que active todos los botones del apartado **Conversaciones**.

a. Denunciar un comentario

Si cree que un comentario es ofensivo o abusivo, puede eliminarlo. Se borrará automáticamente, así como todas las recomendaciones y las respuestas recibidas a este comentario.

- Haga clic en el botón ··· que se muestra en la parte superior derecha del comentario de la persona en cuestión.

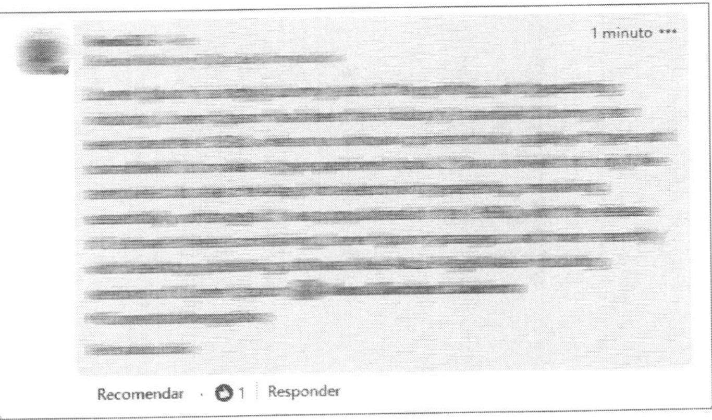

- Haga clic a continuación en el botón **Denunciar**, que va acompañado por el icono de una bandera.

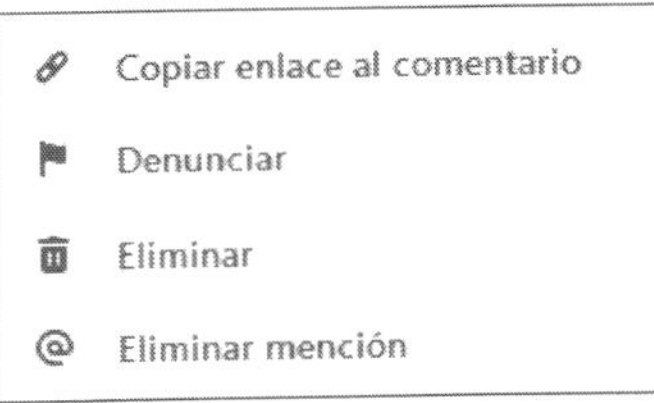

✎ A continuación, se le pide que especifique la naturaleza del comentario ofensivo eligiendo entre varias opciones.

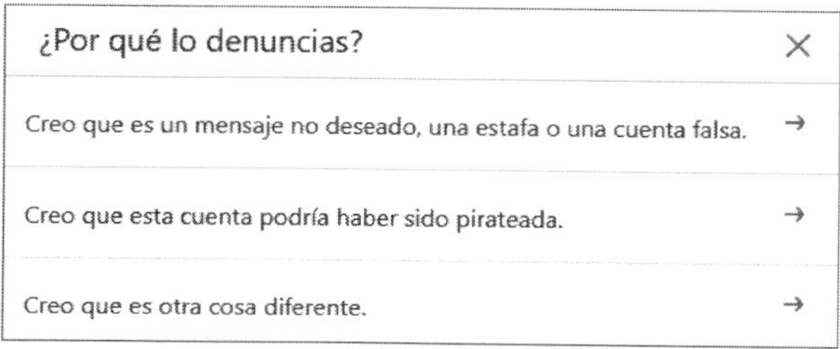

b. ¿Cómo responder a un comentario negativo?

En lugar de intentar una pirueta tomándoselo con humor (algo que puede exacerbar la susceptibilidad del destinatario), es mejor que:

- Sitúe las cosas en su contexto; si usted da un consejo que es criticado, responda basándose en lo que usted mismo ha constatado. No busque tener razón: exponga el hecho en una situación X.
- Ofrezca la posibilidad de intercambiar opiniones en privado; le demuestra a su interlocutor que quiere comprender mejor qué provocó su reacción y no alimenta el desacuerdo en público, algo que podría decepcionar a su red o empañar su imagen. Sea un catalizador.

Si el comentario está fuera de lugar, es probable que provenga de un perfil falso. Generalmente, esa persona no ha escrito su resumen, no consta su trayectoria profesional o es ilógica, las otras secciones de su perfil no están completadas, no ha publicado ningún post o artículo o cuenta con una red muy escasa. Su objetivo seguramente sea infiltrarse en su propia red.

Si la persona en cuestión es «conocida» por este tipo de mensajes, simplemente dé las gracias y siga su camino. Finalmente, también es posible que una persona haya comentado su publicación bajo la influencia de una emoción o una mala interpretación.

El comentario negativo no debe tomarse como algo personal. Intente siempre discutir de forma constructiva; el resultado es una profundización o aclaraciones potencialmente interesantes para todos. La idea es defender su punto de vista con respeto y profesionalidad.

I. Analizar el alcance de sus artículos y publicaciones

LinkedIn permite analizar, interpretar y mejorar la forma en la que su contenido se ve y se comparte. Puede estudiar las estadísticas de sus publicaciones para medir su impacto y ajustar su estrategia de contenido si es necesario.

1. ¿Qué información está disponible?

- El número de visualizaciones, recomendaciones (o *likes*) y comentarios.
- El número de veces que se han compartido sus artículos y publicaciones.
- Datos demográficos sobre su audiencia, incluidas las empresas para las que trabajan estas personas, su función y ubicación.

✎ En la barra de menús de su página de inicio, haga clic en **Yo**, y a continuación en **Gestionar - Publicaciones y actividad** en el menú desplegable.

✎ Haga clic en **Artículos** o **Publicaciones** en su área **Actividad**.

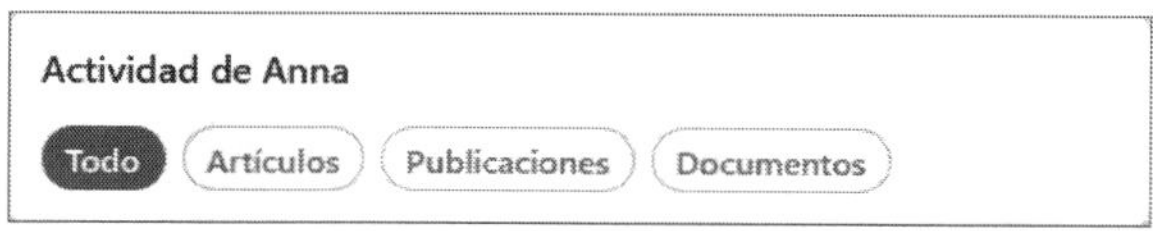

Verá el número de recomendaciones y comentarios.

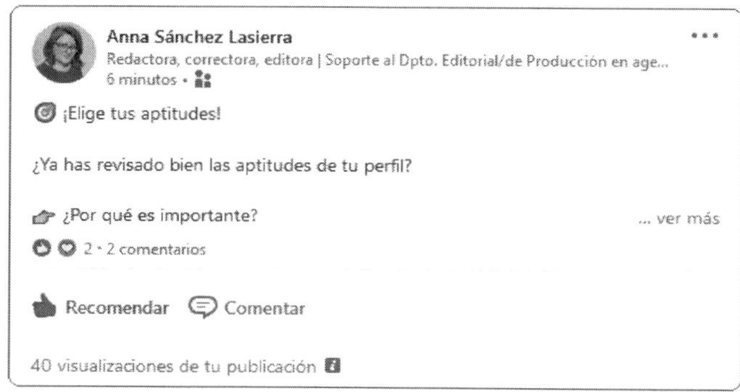

✎ Haga clic en el área de visualizaciones de su publicación en el hilo.

Podrá ver las reacciones a su publicación y el número de visualizaciones por empresa, función y área geográfica, así como la cantidad de veces que se comparte su publicación o artículo.

- Las estadísticas de sus publicaciones están disponibles durante sesenta días a partir de la fecha en que se creó la publicación.
- Podrá ver el desglose detallado de las estadísticas de sus publicaciones y artículos cuando diez o más miembros los hayan visto.
- Las visualizaciones de vídeo se definen como la cantidad de veces que se ha visto su mensaje de vídeo durante tres segundos o más.

2. ¿Qué significa el número de «visualizaciones»?

Hay que hacer una distinción entre artículo y publicación.

- En el caso de la publicación, el número de visualizaciones es las veces que esta se muestra en el *feed* de noticias de un miembro, pero esto no significa que se haya leído.
- En el caso del artículo, la visita se contabiliza en el momento en que la persona hace clic en él o en el enlace hacia él desde su navegador o en LinkedIn. En este caso, se considera que hay intención de leer el contenido.

Cada vez que hace clic en su propio artículo, se cuentan las visualizaciones.

No se concentre en los números. Por supuesto, es importante poder observar la propia evolución en LinkedIn y tener en cuenta qué funciona y qué no. Pero recuerde que una publicación puede tener mucho éxito un día y poco impacto la vez siguiente. Entre estos dos extremos, lo que marcará la diferencia es su motivación y su convicción de que quiere compartir por el placer de hacerlo. Y no se conforme con estar ahí solo para publicar; si no, será visto como alguien que únicamente busca conseguir recomendaciones.

J. Comprender el algoritmo de LinkedIn

El algoritmo de LinkedIn tiene dos objetivos principales:

- Priorizar el contenido relevante.
- Promover la participación y el compromiso.

El algoritmo de LinkedIn utiliza tres indicadores para filtrar y clasificar las publicaciones que aparecen en el *feed* de los miembros:

- Conexiones personales: las personas con las que ha interactuado directamente, a través de comentarios, la acción de compartir y reacciones, así como información de los perfiles, del tipo intereses y habilidades y personas con las que trabajan los miembros.
- Relevancia: LinkedIn mide la coincidencia de un contenido con los intereses de una persona en función de los grupos en los que se encuentra, los hashtags, las personas y las páginas que sigue.

- Probabilidad de interacción: el algoritmo evalúa la probabilidad de que usted comparta, comente o reaccione a un mensaje en función de las publicaciones que le han gustado y que ha compartido en el pasado, así como de las personas con las que interactúa más a menudo. También tiene en cuenta los comentarios sobre su contenido, lo que significa que, una vez que se publica su artículo, cuanto más rápido genere interacciones, más probable es que LinkedIn lo ofrezca en el *feed* de noticias de otros miembros.

He aquí una tabla explicativa:

FILTRO 1
Valoración de la calidad del contenido **por parte de un bot**. ▸ Esto no es spam, ▸ Es una publicación clara y de calidad, ▸ No hay ningún enlace externo. *Su publicación se considera correcta y pasa a la siguiente etapa: FILTRO 2.*
FILTRO 2
Su publicación llega temporalmente al *feed* de noticias. LinkedIn analiza cómo reacciona su audiencia a ella. ▸ Recomendar +1 ▸ Comentario +2 ▸ Compartir +3 *Su publicación obtiene puntos: cuanto más alta sea su puntuación, mayor será el porcentaje de conexiones que la verán. El siguiente paso es el FILTRO 3. En este punto, si su publicación está marcada como spam por su audiencia o se ha ocultado en el feed de noticias, LinkedIn lo penaliza a usted y lo saca del algoritmo en el FILTRO 2.*

FILTRO 3
El algoritmo de LinkedIn trabaja para determinar si su contenido merece mostrarse todavía en el *feed* de los miembros y si continúa sin ser spam. ▸ Comprueba su estado (el de usted) ▸ Analiza las interacciones de su red a su publicación *LinkedIn aún puede eliminar su publicación del feed o mostrarla con menos frecuencia. Es el compromiso de su red con su publicación lo que determinará si pasa al filtro 4.*
FILTRO 4
Valoración de la calidad del contenido por parte de los **editores de LinkedIn**. Una vez más, determinan si su contenido merece ser mostrado siempre en los *feeds*, si es posible que se presente en un canal diferente que el *feed* de noticias (gestión, selección, por ejemplo) y cuáles son los elementos que contribuyeron al éxito de su contenido con el fin de alimentar el contenido pedagógico, mejorar el algoritmo, etc. *Mientras su publicación esté activa, permanecerá en el feed, puede que incluso durante varias semanas.*

La idea, tal y como acabamos de explicar, es que usted permanezca atento a su publicación durante los siguientes 60 minutos, reaccionando y respondiendo a todas las personas que dedicaron tiempo a interactuar con ella. De esta forma, el algoritmo recompensará su capacidad de respuesta.

K. Horarios recomendados para publicar

Algunas franjas horarias se consideran a menudo favorables o prioritarias cuando se desea publicar en LinkedIn y llegar a la mayor cantidad de personas posible.

- Mejores horarios: 7-8 h, 11-12 h y 17-18 h.
- Mejores días: martes y jueves.
- Evitar: el viernes desde las 22 h hasta el sábado a las 6 h.

Sin embargo, tenga en cuenta los hábitos de su red y su propia necesidad o ritmo y no se detenga en estos horarios específicos. Pruebe el día y la hora que le parezcan adecuados para que su audiencia reaccione a su contenido y usted pueda responder rápidamente a los comentarios.

LinkedIn recuerda en uno de sus artículos (https://business.linkedin.com/en-uk/marketing-solutions/blog/posts/B2B-Marketing/2016/Whats-the-best-time-to-post-on-LinkedIn) que, aunque los lunes y los viernes no son días de gran *engagement*, ambos merecen atención. Los lunes, muchos profesionales están centrados en sus metas e imperativos de la semana, así que publicar un contenido sobre resolución de problemas puede ser útil. En cuanto a los viernes, los lectores ya están enfocados en el próximo fin de semana, en cuyo caso puede optar por elaborar publicaciones más accesibles, más ligeras e inspiradoras. Depende de usted ver qué funciona mejor según los hábitos de su red.

L. Guardar ordenadamente sus publicaciones en su perfil

La sección **Logros** de su perfil no se reserva exclusivamente para las publicaciones de tipo universitario o técnico, ¡todo lo contrario! Le va a ser útil para agrupar todos los contenidos y permitir que todo el mundo los encuentre fácilmente. Aporta, además, auténtico valor añadido a su perfil y demuestra su experiencia contrastada en LinkedIn y más allá.

Como paso previo, recuerde copiar los enlaces de sus artículos y sus publicaciones en un documento de Word para que le resulte más sencillo completar la información.

- En la sección **Logros** de su perfil, proceda de la siguiente forma: haga clic en el signo +.

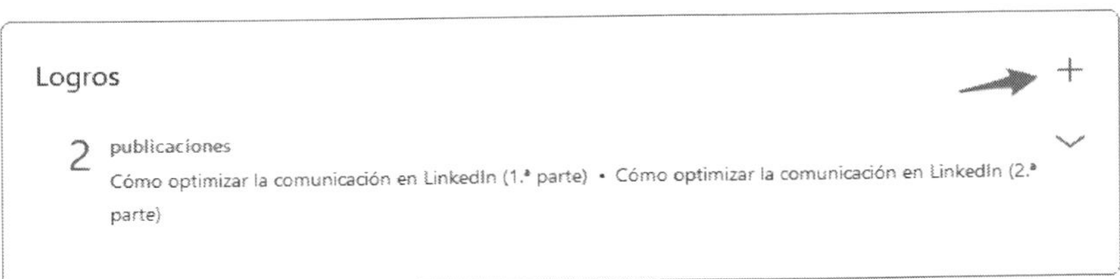

- Se muestra un menú desplegable; escoja **Publicaciones**.

Logros
Publicaciones
Patentes
Cursos
Proyectos

✎ Complete la información que se le solicita.

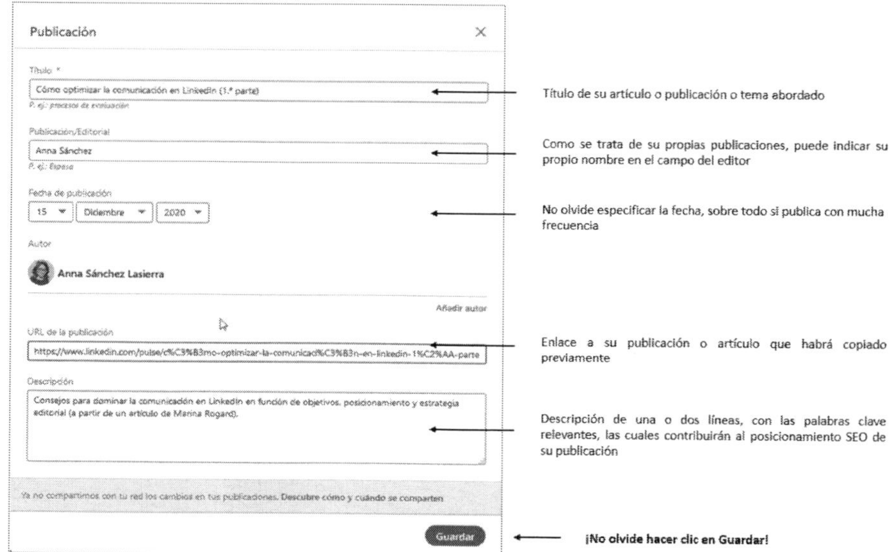

✎ Recuerde hacer clic en el botón **Guardar**.

M. ¿Qué ritmo de publicación?

Lo más importante en LinkedIn –como en cualquier red social, dirá usted– es la regularidad: por un lado, para marcar su presencia y, por otro, para crear una especie de hábito en los lectores de verle y leerle.

Tampoco existe una regla en lo que respecta al volumen de contenido: todo depende de su meta y sus objetivos. Pero lo cierto es que, cuanto más publica, más mejora su visibilidad, sobre todo si su contenido es de calidad, útil y utiliza hashtags relevantes.

La repetición hace la reputación.

Marcel Bleustein Blanchet

Publicar más de dos veces al día solo le perjudicará, ya que, si comparte tres piezas de contenido en un día, la segunda cortará el impulso de la primera y la tercera será totalmente ignorada por el algoritmo de LinkedIn. Por lo tanto, es aconsejable esperar algunas horas entre las publicaciones, si debe publicar al menos dos durante el día, para que el algoritmo las trate por igual.

Recuerde que la lógica de LinkedIn es mostrar contenido a tantas personas como sea posible. No hace falta publicar en exceso, usted solo en su rincón; esto no interesa ni a la plataforma, que busca sobre todo generar *engagement*, ni a usted, que se arriesga a cansar y perder la confianza de sus lectores.

Cuando se trata de comunicación, la calidad prevalece sobre la cantidad; es mejor publicar menos, pero mejor. Si no tiene nada interesante que decir, ¡no escriba! Una buena idea puede ser hacerse un plan de comunicación, por ejemplo, cada diez días aproximadamente. Puede observar que muchos creadores de contenido a menudo saltan (demasiado) rápidamente a su siguiente publicación y no se aseguran del seguimiento cualitativo de la actual. Y, sin embargo, los días posteriores a una publicación son cruciales para fortalecer su presencia y los vínculos con su red.

Por ejemplo, ¿se ha tomado el tiempo necesario para:

- asegurarse de que ha respondido TODOS los comentarios de su publicación/artículo?
- observar si hay nuevos «visitantes» que hayan recomendado su contenido, visitar su perfil o proponerles que se agreguen a su red (si cree que tienen intereses comunes)?
- dar las gracias a TODAS las personas que han compartido su publicación?
- consultar todas las visualizaciones de su perfil y establecer solicitudes de conexión personalizadas si ello responde a sus objetivos?

Le aconsejo que deje que sus publicaciones prosperen, siempre que obtenga recomendaciones y comentarios; eso significa que su contenido está creciendo tranquilamente. ¿Por qué querría «chafar» una publicación que funciona bien con otra?

Aproveche, por el contrario, este lapso entre la publicación de ambas para comentar los contenidos de otros miembros.

Por lo tanto, le recomiendo encarecidamente que no se dedique a lanzar publicación tras publicación y que respete el apetito de sus suscriptores. Cuando inunda los *feeds* de noticias con contenido, lo que puede suceder (y, de hecho, sucede) es que sus seguidores pueden dejar de seguirlo o solicitar no volver a ver sus publicaciones.

¿Cómo puede dejar de seguir un perfil y de ver una publicación?

- Haga clic en el botón ··· en la parte superior de la publicación correspondiente.
- Elija entre **No quiero ver esto** o **Dejar de seguir** a la persona.

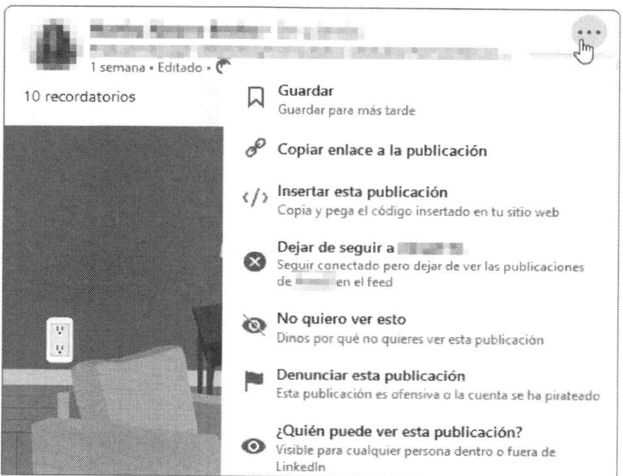

También nos gustaría mencionar la práctica de *slow content* que tiene como objetivo imponer un ritmo de publicación más razonado y significativo. En este frenesí actual de contenido producido rápidamente, difundido rápidamente, compartido rápidamente, el *slow content* aboga por contenido mejor elegido, más original y profundo. Algunos contenidos necesitan madurar, tener tiempo para entrar en el espíritu de los lectores.

En esta persecución de la calidad, el «slow content» invita a los productores de contenido a orientar su estrategia en torno a ideas de utilidad, durabilidad e identidad. De utilidad, para satisfacer las expectativas de un público siempre difícil de mantener «enganchado» en el tiempo; de durabilidad, para rechazar el sobreconsumo de contenidos prescindibles que no permiten reforzar la identidad de la empresa, y esta última, justamente, para anclar su presencia en el tiempo y en territorios de comunicación endémica.

http://www.e-marketing.fr/Thematique/agences-1089/breve/le-slow-conttent-le-retour-des-formats-poetiques-333605.htm

(traducción del original francés)

Otro punto que es importante destacar: la comunicación es cuestión de paciencia y observación. Ya sabe lo que dicen: «Roma no se construyó en un día». No está solo en LinkedIn, sus competidores también están allí; se necesita tiempo para establecerse como experto en un campo y ganarse la confianza de una red. Como regla general, espere entre seis meses y un año para tener resultados positivos (solicitudes de conexiones, aumento del número de suscriptores, oportunidades profesionales).

N. La importancia de los hashtags

Los hashtags son imprescindibles en LinkedIn. Permiten referirse a las propias publicaciones y hacer que ganen visibilidad, ayudar a los usuarios a encontrarlas más fácilmente, identificar contenidos relacionados con sus temas favoritos y descubrir temas nuevos, hacer un seguimiento basándose en los hashtags más usados por su competencia o en su industria y participar en las discusiones que le interesen según los hashtags que siga.

El hashtag es una combinación de una o más palabras clave después del signo de almohadilla #. Puede incluir letras (minúsculas y mayúsculas), números, emoticonos, así como el carácter «subrayado» _ o guion bajo.

En ningún caso puede estar formado por caracteres especiales (!, $, €, %, ^, &, *, +, .) ni por símbolos de «guion de unión», «barra» o «barra invertida»: -, /, \.

Qué se puede y qué no se puede hacer:

- Elimine los espacios. Si pone uno, solo se tomará en cuenta la primera palabra y tendrá la funcionalidad de hipervínculo, la otra se «desvinculará» de la etiqueta. Por lo tanto, los hashtags de varias palabras deben agruparse; por ejemplo, #SocialSelling, y no #Social Selling.
- Utilice letras mayúsculas al comienzo de cada palabra en un hashtag que incluya varias para mejorar la legibilidad; por ejemplo, #PowerOfPositivity, y no #powerofpositivity.
- Revise su ortografía; un hashtag mal escrito afectará la visibilidad de su contenido.
- Dé prioridad a los hashtags cortos y sencillos, que sean más fáciles de recordar.
- Las mayúsculas y minúsculas y los acentos no cambian la indexación. Sin embargo, no obtendrá los mismos resultados de búsqueda si escribe #MárketingDigital o #MarketingDigital.

- Evite #utilizar #hashtags en #cada #palabra. Además de ser ilegible, es inútil.

Para elegir hashtags adecuados, es preciso realizar un trabajo preliminar. He aquí algunas cuestiones que le ayudarán con ello:

- ¿Cuáles son los hashtags específicos de su sector de actividad?
- ¿Cuáles revelan mejor su experiencia/su oferta?
- ¿Cuáles podría crear para su marca/empresa, productos/servicios?

Una vez que haya establecido su lista, puede clasificarlos por categorías, longitud, relevancia y realizar un seguimiento de su rendimiento durante un período de tiempo determinado. También ganará tiempo en sus próximas publicaciones si utiliza palabras clave previamente definidas que convendrá actualizar según los resultados obtenidos.

Dado que LinkedIn es una red social profesional, recuerde comprobar que sus hashtags no estén vinculados a un tema controvertido o problemático que pueda empañar su imagen.

No hay límite para la cantidad de hashtags que puede usar en una publicación o artículo de LinkedIn. Sin embargo, limítese a un máximo de tres a cinco hashtags para evitar que el algoritmo de LinkedIn considere su publicación como spam. Del mismo modo, es mejor que los incluya al final de una publicación o artículo, en lugar de al principio.

Si utiliza hashtags de forma recurrente, aumenta sus posibilidades de ser reconocido como un experto en los temas relacionados con ellos. ¡También es una potente señal de su posicionamiento en un mercado!

Al crear un hashtag con el nombre de su empresa, sus lectores podrán agrupar todas las publicaciones que le conciernen y ganará aún más visibilidad.

Asimismo, cada vez que quiera usar un hashtag, asegúrese de revisar en el buscador de LinkedIn si es efectivo y tiene una gran cantidad de seguidores.

1. Seguir hashtags

En primer lugar, escriba el hashtag que desea seguir en el cuadro de búsqueda.

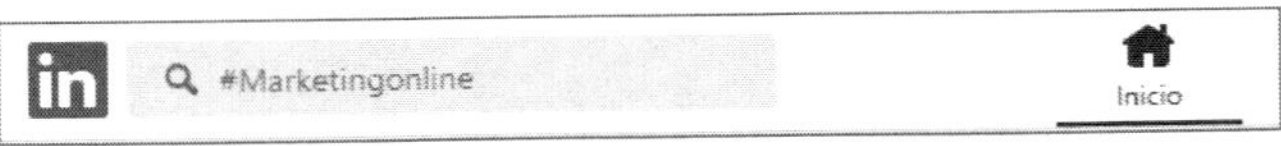

Haga clic en el botón **Seguir** para suscribirse a él.

Podrá descubrir palabras clave basadas en sus intereses, personas en su red que siguen o están interesadas en palabras clave específicas, populares en un sector en particular y entre personas con habilidades en un área dada; populares en su área geográfica y recomendadas para usted.

Tan pronto como siga o use un nuevo hashtag, se anclará directamente en el módulo izquierdo de su página de inicio. ¡Esto le permite hacer clic en él para acceder al contenido más fácilmente!

La ventaja de insertar hashtags al publicar contenido es que los usuarios pueden encontrarlo fácilmente.

Por otra parte, LinkedIn le invita a incluir hashtags en el momento en que lanza una publicación o un artículo:

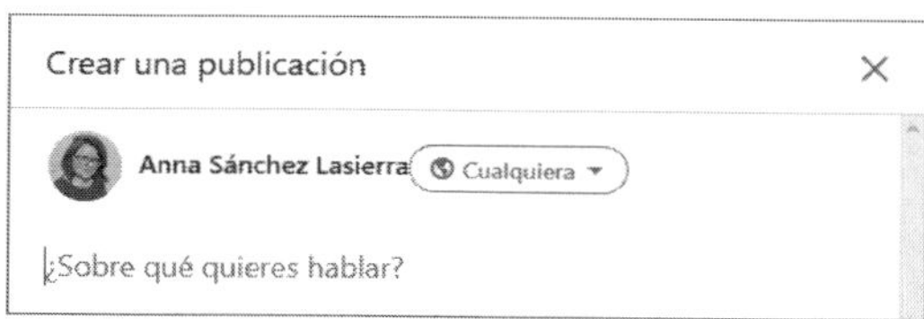

- Haga clic en **Añadir hashtag**.

  En el caso de una publicación, si utiliza con frecuencia el mismo hashtag, se colocará automáticamente en la publicación.

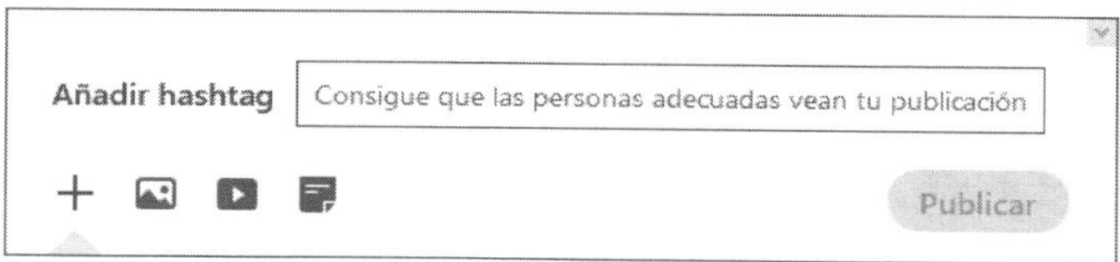

Los artículos siguen el mismo principio; antes de publicarlos, LinkedIn le invita a insertar sus palabras clave.

También puede agregar hashtags al final del resumen de su perfil, siempre que se relacionen con su experiencia. Sin embargo, tenga cuidado de no colocarlos en TODOS los niveles de las secciones de su perfil: los visitantes quieren leer un recorrido, y no una serie de palabras clave.

O. ¿Cómo etiquetar personas?

Cuando lanza una publicación o artículo, tiene la posibilidad de mencionar (o etiquetar) los nombres de las personas que pueden estar interesadas en interactuar con su contenido. Este también es el caso cuando desea presentar a uno de sus contactos la publicación de otro miembro o cuando ha asistido a un evento y desea agradecer la presencia de todos los participantes. La mención siempre se hace con el signo arroba «@». Cualquier persona mencionada recibirá una notificación, a menos que haya desactivado esta opción en su configuración.

¿Cómo hacerlo? Tomemos el ejemplo de una publicación que haya redactado.

- Introduzca el signo @ en el lugar deseado de su texto, seguido de las primeras letras del nombre de la persona a la que quiere mencionar.

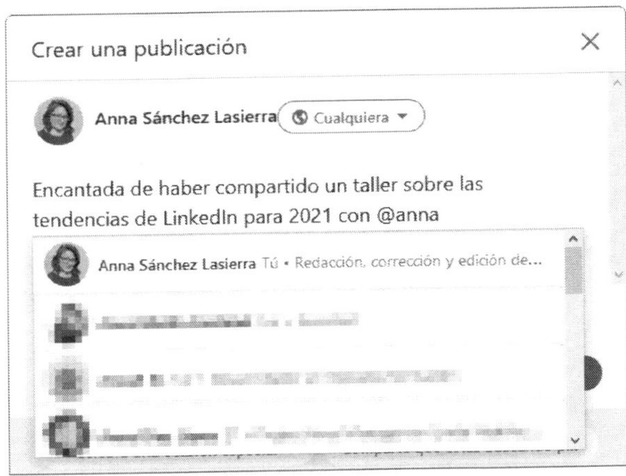

- A continuación, haga clic en el nombre pertinente de la lista.

  En el momento en que se selecciona el nombre, su mención aparece en negrita en relación con el resto del texto.

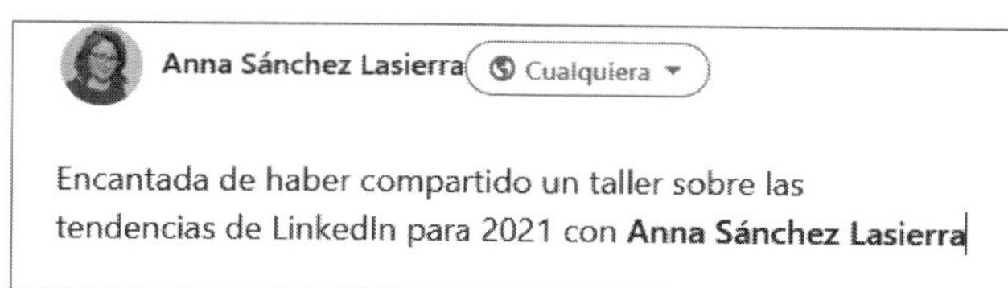

Una vez lanzada la publicación, verá que el nombre mencionado aparece en color azul (como un hipervínculo). Al hacer clic en el nombre, se accede directamente al perfil de la persona.

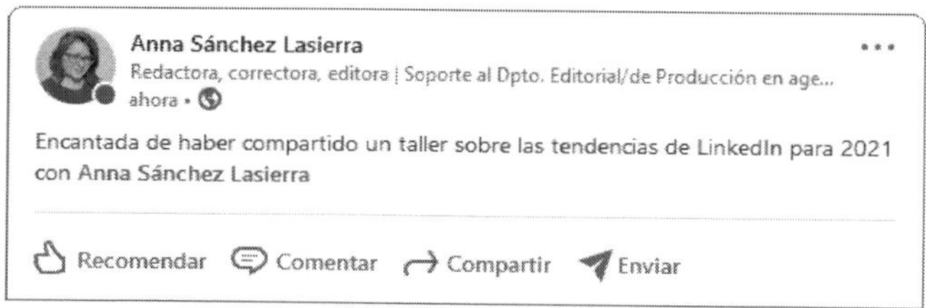

Cuando publica una foto de grupo, también puede etiquetar a las personas que aparecen en la imagen en cuestión, hasta treinta. En el caso de las fotos, no es necesario utilizar el signo @. Los nombres de las empresas no se pueden etiquetar.

Para etiquetar los miembros que aparecen en la foto de una publicación, siga estos pasos:

- Cuando inserta una foto en una publicación, aparece el mensaje **haz clic en cualquier lugar para etiquetar**.

- Haga clic en la foto. Se abre un área para que inserte los nombres de las personas que desea identificar.

El nombre de la persona identificada aparece en una etiqueta negra, junto con una cruz que permite eliminar la mención si se ha producido algún error.

Tan pronto como lance su publicación, los lectores verán aparecer una etiqueta negra con la cantidad de personas mencionadas y podrán identificarlas con su nombre haciendo clic en la foto.

con **Anna Sánchez Lasierra y 1 persona más**

Utilice esta etiqueta con prudencia; algunos miembros se muestran reacios a esta práctica, que creen que implica la obligación de responder. Si tiene la intención de etiquetar a un miembro, es mejor que pida su consentimiento de antemano para evitar cualquier situación incómoda.

- Para eliminar una mención en una publicación en la que aparece, vaya a la publicación en cuestión. En la parte superior derecha, haga clic en el botón ···. Aparece un menú desplegable.
- Seleccione **Eliminar mención**.

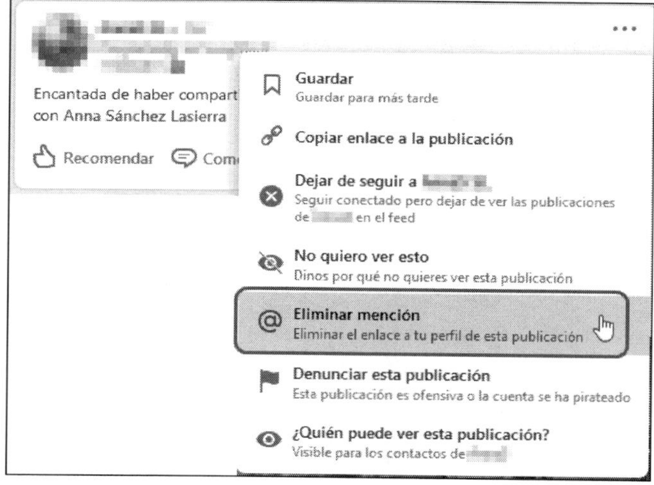

Se abrirá una ventana en la que se le pedirá que confirme su elección.

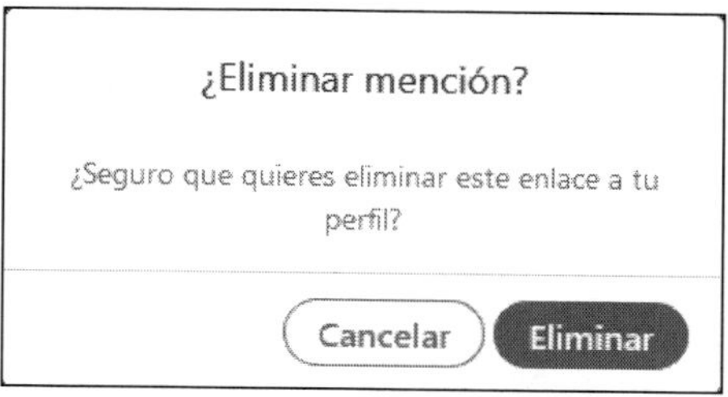

En un pequeño recuadro, abajo a la izquierda, se le indicará que se ha retirado la mención.

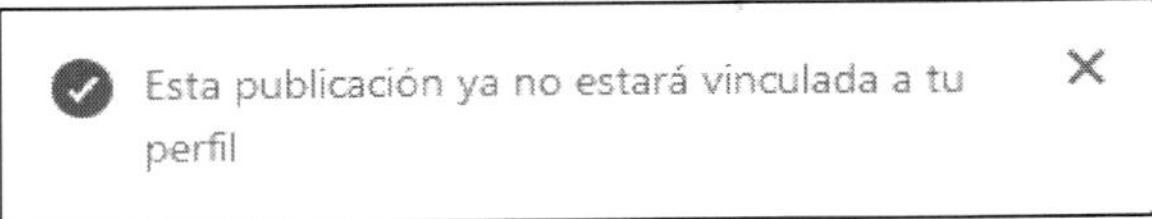

Una vez suprimida la mención, su nombre seguirá apareciendo, pero como texto plano; el vínculo a su perfil habrá dejado de estar activo. El miembro que le había mencionado inicialmente no será informado de esta eliminación.

Tome nota:

- Los miembros de LinkedIn no recibirán notificaciones sobre la mención si han desactivado esta configuración.
- Puede mencionar a un miembro de LinkedIn incluso aunque no esté en su red.
- No etiquete a más de cinco usuarios.
- Si no desea que sus contactos u otros miembros lo etiqueten en sus mensajes y comentarios, puede desactivar las menciones de los demás.

P. ¿Cómo buscar contenidos?

La función de búsqueda de contenido es ideal en LinkedIn, ya que le permite descubrir artículos y publicaciones previamente presentados en su *feed*. También es una excelente herramienta de seguimiento para cualquier usuario que desee informarse, obtener inspiración para su propia línea editorial y tomar notas sobre lo que publica la competencia. Además, puede utilizarla para ampliar su red profesional conectándose con personas que comparten los mismos intereses que usted.

Puede buscar por palabras clave o temas relacionados con su sector de actividad, por hashtags o por nombre de miembro si conoce al autor de una publicación que desea volver a leer. Además, tiene acceso a una serie de filtros que le permiten localizar el contenido con mayor precisión: puede ordenar por fecha, por nivel de relación, por empresa y por sector.

La ventaja de usar hashtags en su propio contenido es que obtiene un mejor SEO dentro de LinkedIn e impulsa sus publicaciones a la parte superior de los resultados del buscador.

- En la barra de búsqueda, introduzca su palabra clave.

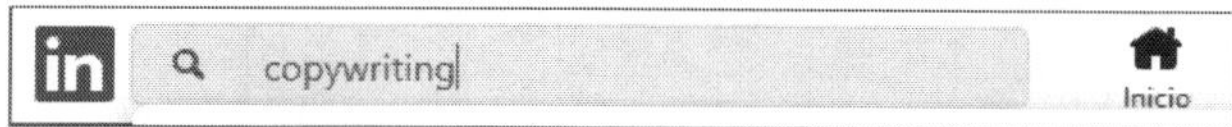

- Aparece un primer menú. Haga clic en **Publicaciones**.

- Se muestra un segundo menú para que pueda concretar su búsqueda de contenido. Haga clic en **Todos los filtros**.

- Ahora puede orientar su búsqueda seleccionando los criterios que le parezcan importantes.

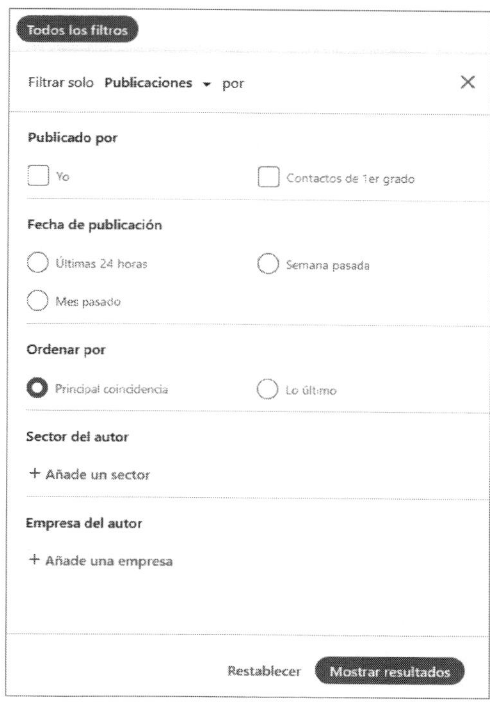

Una vez realizada la búsqueda, aparecerá todo el contenido relacionado con la palabra clave.

Para tomar nota: si un miembro ha eliminado una publicación que había compartido en LinkedIn, no podrá encontrarla en los resultados de búsqueda.

Q. Conocer los diferentes emoticonos de reacción

LinkedIn dispone de una serie de emoticonos para reaccionar a los diferentes contenidos. Además del botón «Recomendar», hay cuatro acciones adicionales con las que puede compartir sus pensamientos.

La idea que propone LinkedIn es que el autor pueda entender por qué a alguien le gustó su publicación a través de reacciones más expresivas que un «Recomendar» e interactuar de manera más constructiva con su comunidad.

Esta serie de botones también tiene como objetivo alentar a los miembros a interactuar con el contenido y a comentarlo.

- Presentación de los botones:

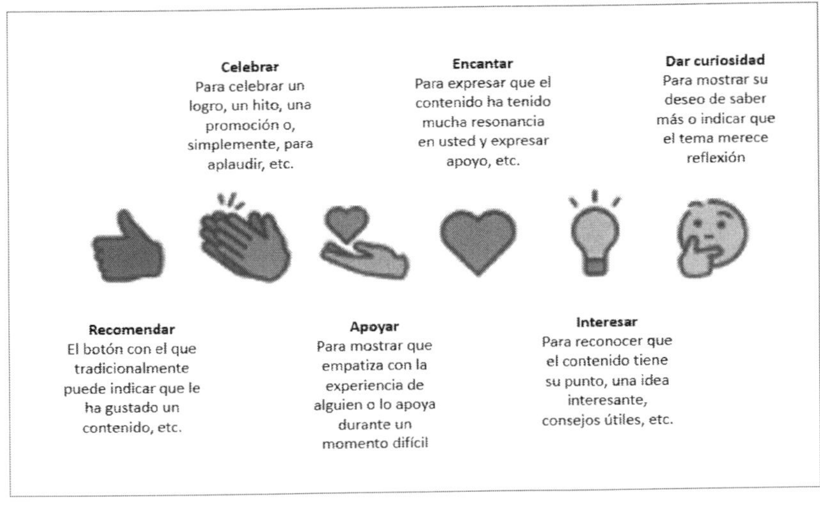

R. ¿Por qué es importante comentar?

Cuando comenta los contenidos de otros miembros, va construyendo su reputación gradualmente: su nombre aparece en los *feeds* de noticias y va resultando cada vez más familiar para los otros usuarios. Observará, por ejemplo: «Marina ha comentado esto, Nadia recomienda aquello, Marina y Nadia han reaccionado a...». Cuanto más comente, a más personas podrá llegar porque el algoritmo favorece el contenido que le gusta, aquel al que ha reaccionado en los *feeds* de las personas de su red.

También es una forma de que se le reconozca por agregar valor a las discusiones; además, sus comentarios también pueden ser recomendados, lo que hace que, cada vez, su nombre se asocie al de un colaborador de calidad.

Su perfil será consultado con más frecuencia porque se le considerará un miembro activo que aporta valor a su red: demuestra interés por lo que se dice y enriquece los contenidos de los demás con comentarios bien nutridos.

Esto también le permite dialogar con gente nueva y descubrir quién puede ser relevante para sus objetivos.

Por supuesto, puede simplemente hacer clic en «recomiendo, me encanta, apoyo, celebro, me da curiosidad, me interesa», pero al dejar un comentario refuerza el peso de su *expertise* en otros miembros que, con el tiempo, le reconocerán y acudirán a usted de forma natural en mensajes privados para obtener información.

Si es posible, intente ir más allá del simple «recomiendo, me encanta, apoyo, celebro, me da curiosidad, me interesa». Demuestre que desea iniciar la discusión, agregar perspectivas adicionales, hacer preguntas, identificar a otras personas de las que sabe que pueden brindar un punto de vista útil. También puede añadir imágenes en los comentarios o un enlace a una referencia para presentar una idea y enriquecer el debate.

No obstante, debe evitar una actitud: la de autopromocionarse en el contenido de un miembro insertando un enlace a un artículo suyo sobre el mismo tema. Le aconsejamos que primero, si lo desea, pida permiso al autor para hablar sobre su publicación. Es una cuestión de respeto.

Finalmente, un último punto: interésese por la actividad de otros miembros accediendo a su perfil: verá qué han comentado y en qué podría intervenir.

Recuerde que un comentario está lejos de ser trivial: puede generar una serie de reacciones positivas por sí solo que quizás le permitan destacar por su experiencia ¡y ganar una oportunidad!

S. Destacar a las personas de su red

1. Dar reconocimientos

Los reconocimientos son una forma original y atractiva de compartir mensajes de gratitud y aprecio con personas de su entorno profesional (compañeros, socios, miembros del equipo, etc.).

La versión estadounidense de LinkedIn llama a estos reconocimientos «Kudos» y presenta un hashtag específico #Kudos. Como anécdota, en griego, *Kudos* se refiere a la gloria y la fama que resultan de una acción exitosa (según Wikipedia). En español, se puede interpretar como «enhorabuena».

Tenga en cuenta que solo puede enviar reconocimientos a las personas con las que está en contacto y a razón de tres por semana como máximo.

Hay diez categorías de felicitaciones disponibles, cada una de ellas con un expresivo diseño que la acompaña:

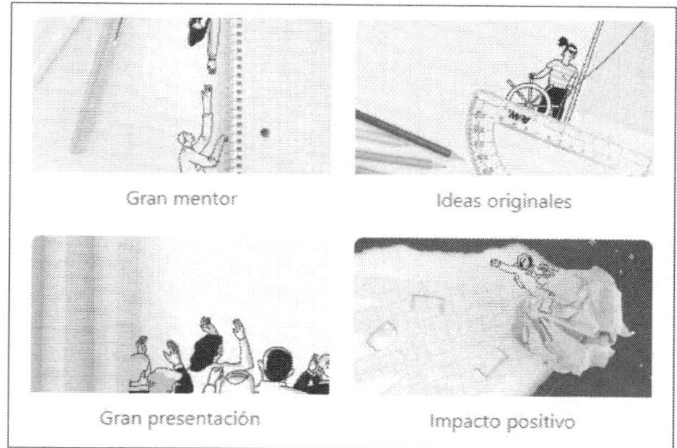

- Vaya al perfil de la persona que a la que desea dar el reconocimiento. Haga clic en el botón **Más**, situado al lado de **Enviar mensaje**. En el menú desplegable, haga clic en **Dar reconocimiento**.

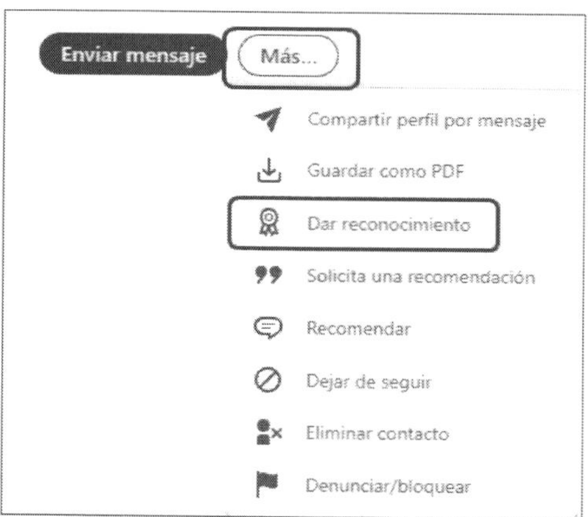

- En la ventana que se abre, elija un reconocimiento según la categoría escogida.

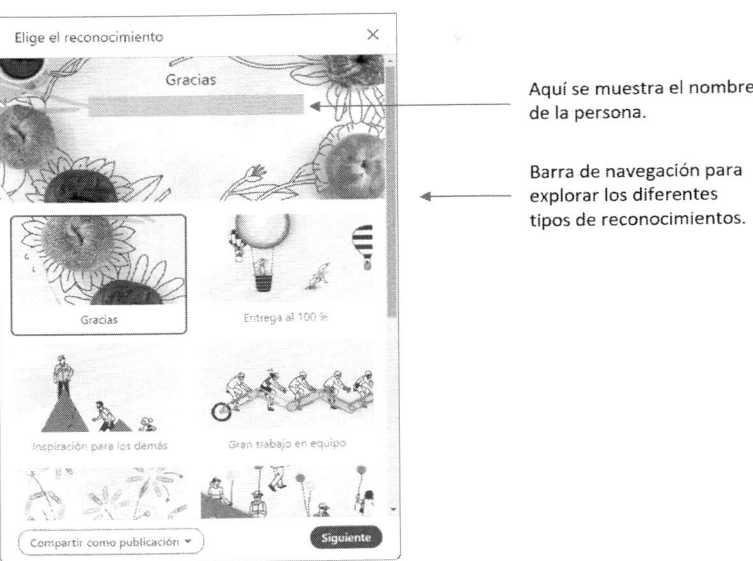

- Haga clic en el menú desplegable **Compartir como publicación** para enviar el reconocimiento en un mensaje privado o bien para compartirlo en una publicación.

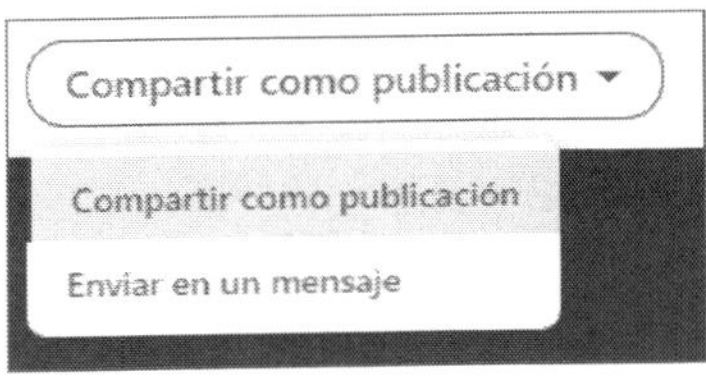

De forma predeterminada ya se añade una frase, pero ¡no dude en personalizarla!

Estos reconocimientos le permiten, por lo tanto, comunicarse de forma diferente y crear proximidad con los miembros de su red. De alguna manera, muestra otra faceta de su identidad profesional: una en la cual no duda en mostrar su agradecimiento a sus compañeros de una manera un poco más espontánea y cálida.

2. Dar la bienvenida a un recién llegado

LinkedIn le permite de dar la bienvenida a un nuevo miembro que se une a su equipo. Si es usted gerente, responsable de recursos humanos o simplemente un colega o colaborador, puede presentarlo a su red y posicionarse como mentor ofreciéndole visibilidad. También puede iniciar una discusión con los miembros ofreciéndoles la oportunidad de compartir sus propias impresiones de su llegada a la empresa e invitarlos a proporcionar consejos y otras buenas prácticas durante este período de prueba.

✎ Comience por abrir una nueva publicación.

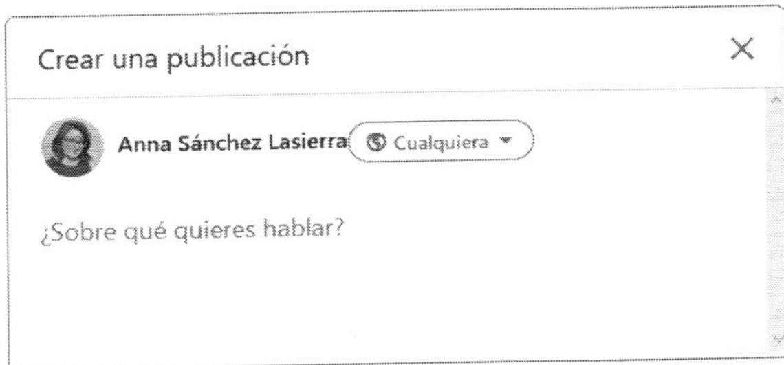

✎ Haga clic a continuación en **Celebra una ocasión especial**.

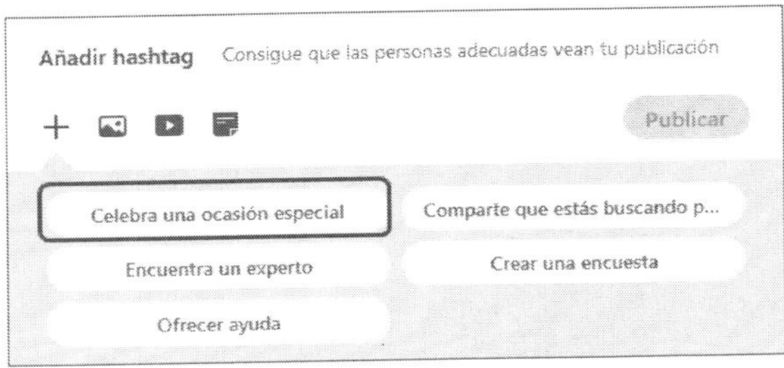

✎ Elija **Te damos la bienvenida al equipo**.

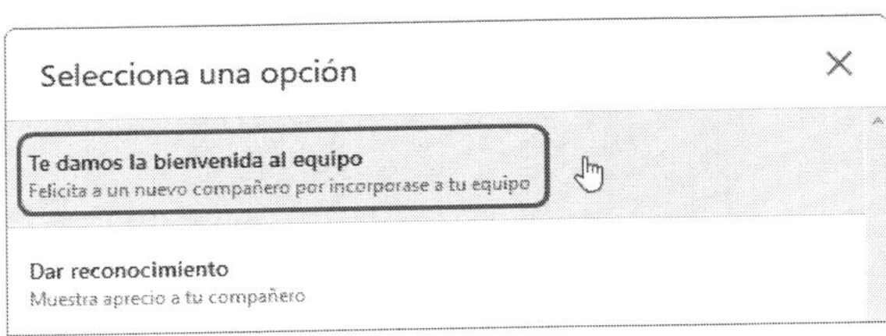

- Añada una foto haciendo clic en el signo + (puede tratarse de una foto del equipo o de las oficinas) y haga clic en **Siguiente**.
- Seleccione la persona a la que da la bienvenida y haga clic en **Siguiente**.
- De forma predeterminada, aparece una frase de bienvenida: personalícela.

T. Guardar las publicaciones y los artículos

Todos los días desfila por su *feed* de noticias una gran cantidad de publicaciones y artículos; seguro que no tiene tiempo material de leerlos todos. Afortunadamente, dispone de la opción de guardar las publicaciones que le interesen para volver a ellas más tarde. Esto le permite apreciar el contenido en su justo valor, a su propio ritmo, fácilmente localizable en un lugar dedicado a ello. Además, redescubre el placer de leer sin urgencia y puede echar un vistazo más prolongado al perfil del autor.

- Cuando aparezca la publicación o el artículo, haga clic en el botón ··· de la esquina superior derecha y luego en **Guardar**.

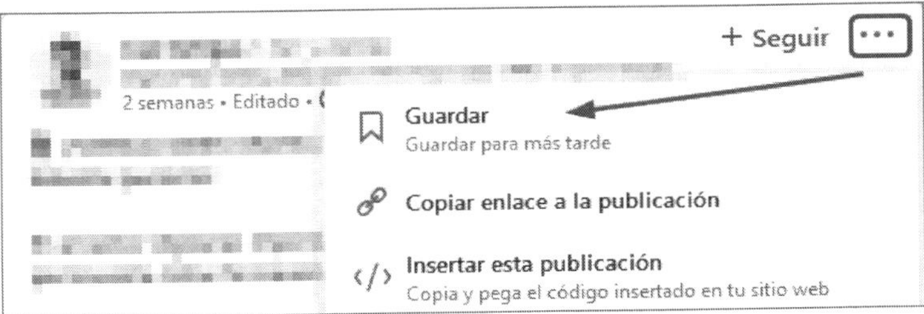

- Para localizar el contenido guardado, en la columna izquierda de su página de inicio, haga clic en **Marcapáginas**.

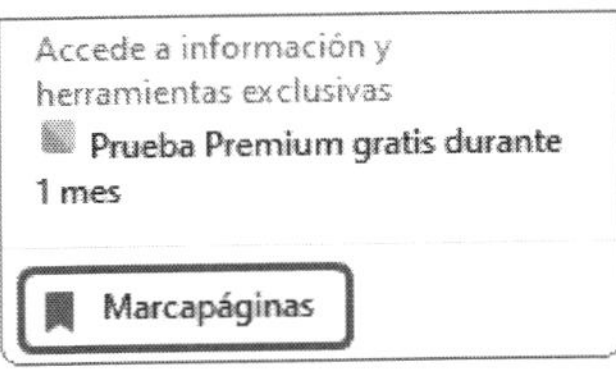

- Accederá inmediatamente a las publicaciones y artículos en su espacio privado.

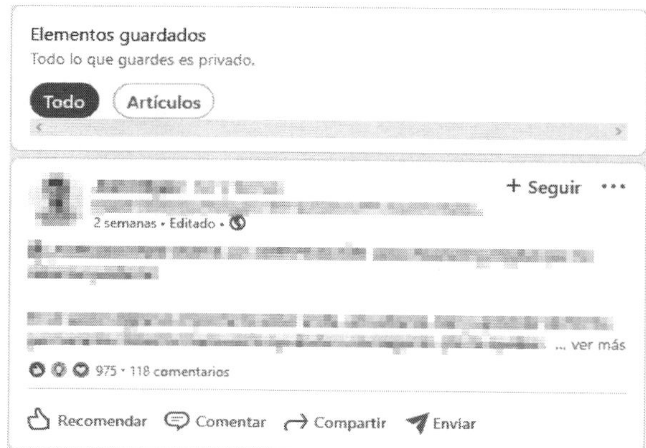

- Una vez que haya leído sus publicaciones, vuelva a hacer clic en el botón ••• de la esquina superior derecha y luego haga clic en **Quitar** para eliminarlas.

U. Conclusión

La fuerza de la comunicación reside en su personalidad, en la forma como transmite sus valores laborales y lo que le impulsa en el día a día en su trabajo, en sus proyectos, en sus pasiones profesionales. En LinkedIn, particularmente, favorezca un enfoque único y sincero que le permitirá, a largo plazo, ganarse la fidelidad de su red.

Tómese un tiempo cada día para anotar una idea, incluso la más simple, y póngase como meta usarla en una pequeña historia para compartir con sus seguidores. «Es escribiendo como uno se convierte en escritor», dice Raymond Queneau; eso mismo se aplica para usted. Cuanto más practique escribiendo una o dos líneas todos los días, más cómoda le resultará la comunicación y más placentera la encontrará.

No dude en trazar su propio camino para convertirse en un referente, una fuente confiable. La audacia y la originalidad son dos recursos inagotables para dar vida a su comunicación y su territorio de expresión. Combinadas con la calidad en los contenidos, es una apuesta segura para ocupar un lugar muy especial en LinkedIn, porque los miembros también son sensibles a lo que se sale de lo común, lo que representa un verdadero descubrimiento.

En definitiva: ¡tome la iniciativa y sorpréndalos!

Capítulo 3

Desarrolle su red

A. Introducción

Cualquier aventura profesional implica, en un momento particular o decisivo, rodearse de personas útiles para emprender, hacer realidad un sueño, reciclarse, desarrollar su carrera, etc. El valor añadido de LinkedIn es precisamente el poder de su red. Cada relación puede convertirse en una pasarela a una oportunidad, cada oportunidad puede conducir a nuevas conexiones, sinergias, otros encuentros más prometedores y estimulantes. La red es un generador de pequeños y grandes éxitos, un reservorio de pasiones y energías compartidas, de voluntades unidas para ayudar a cambiar las cosas.

En el centro de esta red, usted es el animador. Una red armoniosa, comprometida y de calidad depende de la coherencia de su implicación personal, de lo que va a hacer o decir para atraer gente a su alrededor, para reforzar el sentido de sus acciones y el alcance de sus mensajes.

Y mientras espera para crear este núcleo duro, entre en la feria de *networking* más grande del mundo: LinkedIn.

Si quieres ir deprisa, ve solo; pero si quieres llegar lejos, vayamos juntos.

Proverbio africano

B. ¿Por qué «enredarse»?

Podemos definir una red como un conjunto de personas que intercambian servicios, conocimientos, información, consejos, tiempo y contactos para desarrollar vínculos y ayudarse mutuamente. A nivel profesional, ya sea estudiante, directivo, emprendedor, necesitará contactos (clientes posibles o confirmados, socios, proveedores, compañeros, miembros de asociaciones o grupos, etc.) para alcanzar sus objetivos: conseguir un nuevo puesto, realizar una reunión importante, probar una idea, tomar una decisión, obtener una opinión, etc.

La red es un motor que funciona con oportunidades, iniciativas, inspiraciones. Se dará cuenta de su importancia cuando llegue a LinkedIn; su vida como emprendedor alcanzará una velocidad superior. Una red es una oportunidad increíble para progresar y, en esta gran biblioteca de conocimientos que es LinkedIn, no dejará de encontrar compañeros de viaje.

Sin embargo, para que sus operaciones de *networking* sean relevantes y exitosas, es necesario preparar bien su enfoque y reflexionar sobre lo que quiere lograr en LinkedIn:

- ¿Atraer nuevos clientes?
- ¿Posicionarse como experto en su sector?
- ¿Promocionar su negocio? ¿Sus prestaciones?
- ¿Compartir experiencias profesionales?
- ¿Despertar el interés de los técnicos de selección?
- ¿Iniciar nuevos proyectos? Etc.

Una vez formuladas estas preguntas, puede invertir eficazmente sus esfuerzos en acercarse a los contactos clave en LinkedIn y seleccionarlos con mayor precisión: por sector, por función, por tipo y tamaño de empresa, por región, etc.

Luego, a medida que avancen sus discusiones y encuentros, se dirigirá intuitivamente a las personas alineadas con sus valores, sus afinidades, sus sensibilidades, sus convicciones: así es como se despliega una red más coherente y cercana, más modelada a partir de sus aspiraciones –que se asemeja a usted y lo revela–. Es un trabajo de *networking* responsable, sensato y reflexivo que conduce a un equilibrio entre la complementariedad y la reciprocidad, con una perspectiva rentable y de largo plazo.

El *networking* estratégico conduce a proyectos comunes, alianzas sólidas, contactos que lo ayudarán a sembrar, crecer y recoger la cosecha... ¡en el deseo compartido de crear oportunidades y generar chispas profesionales!

1. ¿Qué actitud adoptar en LinkedIn?

La construcción de una red requiere tiempo; tiempo para encontrar a las personas adecuadas, para observar y conocerse, para sociabilizar, presentarse, confiar el uno en el otro.

La red es una historia entre individuos, entre personalidades, entre humanos. Crear un vínculo es, ante todo, abrirse a los demás, tender la mano, dar antes de recibir. La generosidad no es un término inútil, al contrario. Cuando la generosidad anima y nutre sus acciones, rápidamente se convierte en una fuerza para reunir, transmitir, alentar y estimular. Es una forma de nobleza que produce un efecto tranquilizador y reconfortante en sus interlocutores, que refuerza su nivel de implicación e interés.

La generosidad estimula, le permite afirmarse como una persona ideal y creíble que contribuye a la riqueza de la comunidad, lo que resulta en más referencias sobre usted dentro de su red y nuevas oportunidades: los miembros pensarán sin dudar y de forma natural en usted cada vez que se presente una oportunidad. Su red siente lo que usted es y ofrece en LinkedIn y, créanos: una red que se siente sostenida y apoyada conlleva contactos que se comprometerán a recomendarlo, a contactar con usted, a apoyar sus publicaciones, etc.

Evalúa tu riqueza con la importancia de lo que das.

Georges Duhamel

Al final, LinkedIn es un pequeño ecosistema. Si usted es de los que se sirven a sí mismos sin ofrecer nunca nada, está poniendo en juego su reputación, esa reputación como *networker* que ayuda a abrirle puertas. Una persona que no hace más que «tomar» empobrece, cansa y harta a sus contactos. La red, téngalo en cuenta, es la mejor embajadora de su empresa y de su marca personal; es la que con el tiempo reforzará su atractivo y su visibilidad. Es la portavoz de lo que usted es y comparte.

Y, dado que cualquier relación humana se cultiva en un terreno de confianza, disfrute de discutir y ofrecer espontáneamente su ayuda, de estrechar sus vínculos en torno a reuniones y actividades. Una red virtuosa es una red a la que dará vida con el corazón en un proceso altruista que le hará progresar. ¡Ponga el alma en la red!

2. La importancia de la red física

Su red se construye a la vez tanto en lo virtual como en lo real. Lo que se emprende en el interior debe materializarse también en el exterior. ¿Por qué es esto importante?

Todos sentimos la necesidad en un momento u otro de ver a las personas con las que interactuamos regularmente y con las que nos gustaría encontrarnos más a menudo y finalmente conocer. Humanizar una relación es permitir que florezca y se fortalezca; ir más allá de los proyectos esporádicos para acercarse y tocar con los dedos las perspectivas comunes.

El contacto cara a cara es fundamental. La palabra, el gesto, la mirada son elementos que vienen a nutrir la interacción y revelan más intensamente, más espontáneamente también una personalidad, una identidad, un carácter, un temperamento. Es una huella que se marca en la mente de las personas con mucha más profundidad que un correo electrónico o una simple conversación telefónica. Es poner cara a un nombre.

La reunión IRL (*in real life*) es la extensión necesaria, si no obvia, de sus acciones en la red de LinkedIn. Su continuidad. Su complementariedad. Su culminación. Una forma de madurez también, ya que el grado de exposición no es el mismo. Viene a encarnar su presencia, a materializar sus palabras: usted se revela a sí mismo.

Participar en eventos de *networking* tiene muchas ventajas:

- Su mensaje entra más fácilmente que por escrito; puede «enganchar» y convencer a su interlocutor jugando con la proximidad, la intimidad y la simpatía del momento.
- Conocerá personas de diferentes orígenes o a quienes quizás no se haya acercado y que pueden ser de gran utilidad para su carrera o actividades. Por lo tanto, es una fuente formidable de inspiración y enriquecimiento que contribuye a la apertura de su mente y al surgimiento de ideas originales e innovadoras.

- Cada persona con la que se encuentre puede tener, a su vez, una red increíble y ofrecerle enhebrar la aguja para trabajar con su propia red, que puede contener interesantes clientes potenciales. La magia del *networking* «real» es que inmediatamente se palpa esta distribución de valor, esta capacidad de influenciarse positivamente, esta recomendación que fluye de boca a boca.
- De una manera muy sencilla, el hecho de conocer profesionales sobre el terreno acentúa el deseo de que fructifiquen los intercambios hasta la próxima reunión, especialmente en LinkedIn, donde se puede compartir contenido útil y relevante que avivará las conversaciones iniciadas y generará nuevas.

En un mundo hiperconectado, las redes físicas siempre son útiles y apreciadas. Un almuerzo, un café, también es una oportunidad para hablar en un ambiente más distendido, identificarse con los demás y atreverse a emprender. Entonces, ¿por qué no compartir este pequeño momento de cordialidad con su red? Es el tipo de publicación que todo el mundo aprecia y que demuestra que usted no se queda en lo abstracto.

Este último punto es importante en LinkedIn. Muchos recopilan contactos automáticamente, agregando nombres al azar con la esperanza de inflar el número de sus conexiones. Pero esta reunión aproximativa de extraños de ninguna manera crea una red de calidad: ¿por qué querría conocer gente que, en el fondo, no despierta ningún interés en usted?

Salir de lo virtual es anclar la legitimidad y la credibilidad de otra manera, donde todo cobra sentido, es decir: en la realidad, en lo que está vivo. De ahí la importancia de actuar de forma transparente y sin pretensiones en LinkedIn, porque su presencia también será juzgada al otro lado de la pantalla. Se trata, por lo tanto, de coherencia.

Dedique tiempo a interesarse por los miembros que organizan encuentros, conferencias, talleres y recuerde que el trabajo en red requiere proactividad. ¡No es la red quien va hacia usted, sino al revés!

La red, para mí, es mi forma de ser. Yo vivo la red, la pienso. Me gusta construir relaciones profesionales duraderas. Intento dar antes de recibir, me intereso por los demás regularmente, pongo en contacto a mis contactos. También me aseguro de que todos sepan lo que hago, cuál es mi actividad, mi trabajo, para que puedan recomendarme mejor. La red también me permite ganar tiempo, encontrar los socios adecuados y la información relevante. En la vida real, una entrevista en red es un momento auténtico para compartir. Todo el mundo tiene tiempo para hablar de sus novedades y hacer una petición. Nos ayudamos unos a otros a lograr nuestros objetivos, a encontrar clientes para algunos, el próximo trabajo o unas prácticas para otros.

Frédérique Genicot, consultora, coach, autora

(https://www.linkedin.com/in/frederiquegenicot/)

3. ¿Qué acciones llevar a cabo?

Establecer relaciones requiere perseverancia y, seamos sinceros, un poco de obstinación. He aquí algunas rutinas que le sugiero que implemente en LinkedIn para optimizar su trabajo de *networking*, promover contactos de calidad y mantener sus enlaces.

1. Invite a uno de sus contactos con quien se comunique regularmente a un café, un taller, un evento de *networking* o propóngale hablar por teléfono o a través de videollamada.
2. Dé las gracias a las personas que han comentado sus contenidos y los han compartido.
3. Observe quién ha visitado su perfil e invite a las personas más útiles para desarrollar su actividad.
4. Proponga establecer contacto entre miembros para contribuir a enriquecer la red.
5. Agregue un contacto que haya conocido en una feria comercial, una conferencia, etc.
6. Envíe invitaciones personalizadas a aquellos perfiles con los que tenga puntos en común.

7. Utilice las sugerencias de contactos de LinkedIn y la búsqueda avanzada para localizar personas.
8. Valide las aptitudes o escriba una recomendación para un compañero, un colega, un cliente, etc.
9. Consulte sus notificaciones (cumpleaños, cambios profesionales, etc.) y envíe un mensaje «hecho a mano» a sus contactos.
10. En cada una de sus publicaciones, observe a qué personas fuera de su red les gustó e invite a unirse a las que le parezcan relevantes.
11. Explore el contenido de sus suscriptores, haga clic en **Recomendar** y deje un comentario si le parece interesante y puede brindar su experiencia o un consejo.

C. ¿A qué corresponden los niveles de contacto?

En LinkedIn, las personas de su red se denominan contactos y se presentan en diferentes niveles: 1.º, 2.º y 3.er nivel.

- Contactos de 1.er nivel: personas con las que está directamente conectado, ya sea porque ha aceptado su invitación o porque ellas han aceptado la suya. Se identifican mediante el icono «1.º» junto a su nombre en los resultados de búsqueda, así como en su perfil. Puede contactar con ellos enviándoles un mensaje en LinkedIn.
- Contactos de 2.º nivel: personas conectadas a sus contactos de 1.er nivel. Se identifican mediante el icono «2.º» junto a su nombre en los resultados de búsqueda, así como en su perfil. Puede enviarles una invitación haciendo clic en el botón **Conectar** en su página de perfil o poniéndose en contacto con ellos a través de InMail. Un InMail es un mensaje privado que le permite contactar directamente con cualquier miembro de LinkedIn que no forme parte de sus contactos de 1.er grado (funcionalidad disponible en Premium).
- Contactos de 3.er nivel: personas conectadas a sus contactos de segundo nivel. Se identifican mediante el icono «3.º» junto a su nombre en los resultados de búsqueda, así como en su perfil. Si se muestra su nombre y apellidos completos, puede enviarles una invitación haciendo clic en el botón **Conectar** en su página de perfil. Si solo se muestra la primera letra de su apellido, solo podrá comunicarse con ellos a través de InMail.

Concretamente, se presenta de esta forma:

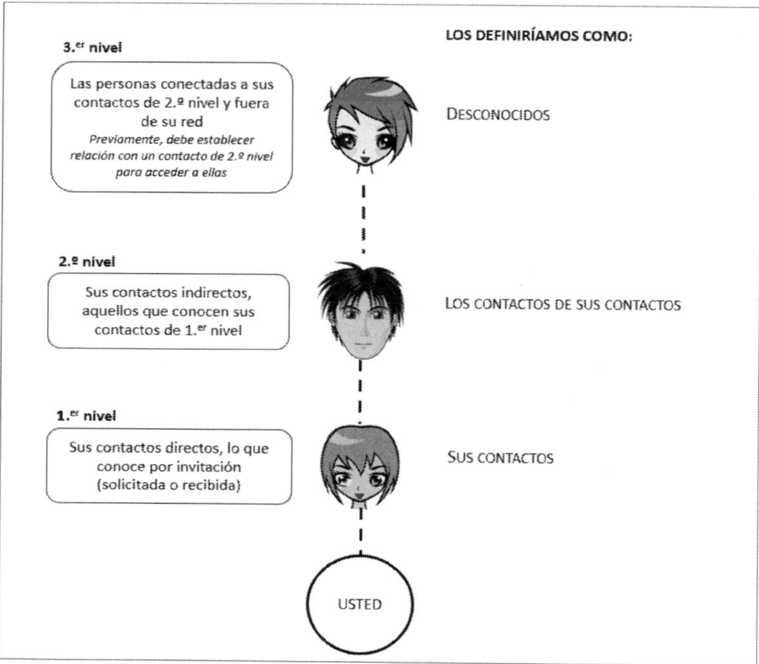

Tenga en cuenta que si usa la función Open Profile (funcionalidad Premium) y una relación de tercer nivel también la usa, pueden enviarse mensajes libremente entre sí.

¿Cómo activar esta opción de perfil abierto?

✎ En el menú superior, haga clic en **Yo** y escoja la opción **Acceder a mi Premium**.

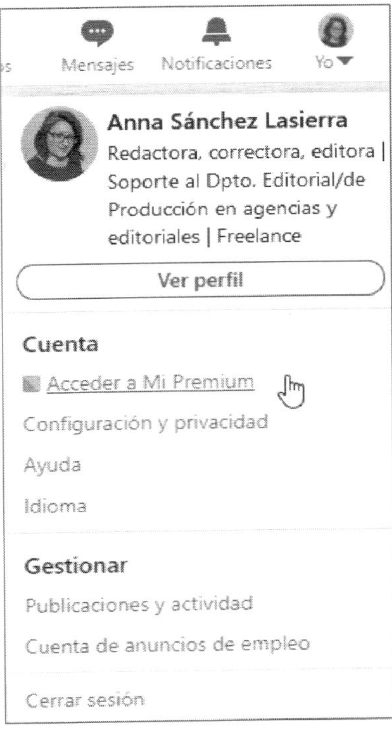

- Se abre una nueva página. En la columna de la derecha, haga clic en la flecha de la opción **Ajustes de perfil Premium** y compruebe que el botón **Open Profile** esté habilitado para permitir que cualquier persona de LinkedIn se comunique directamente con usted, aun cuando no estén conectados. No olvide guardar.

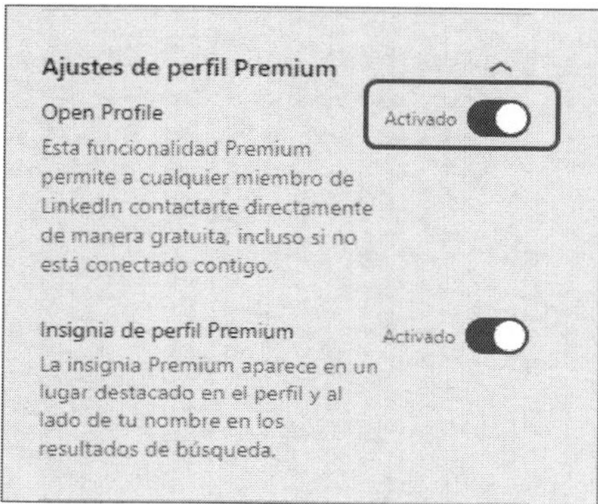

Existe una categoría de perfil que no pertenece a ninguno de estos niveles de relación y que se designa como «miembro de LinkedIn». Recibirá un mensaje en el que se le indicará que no es posible consultar este perfil.

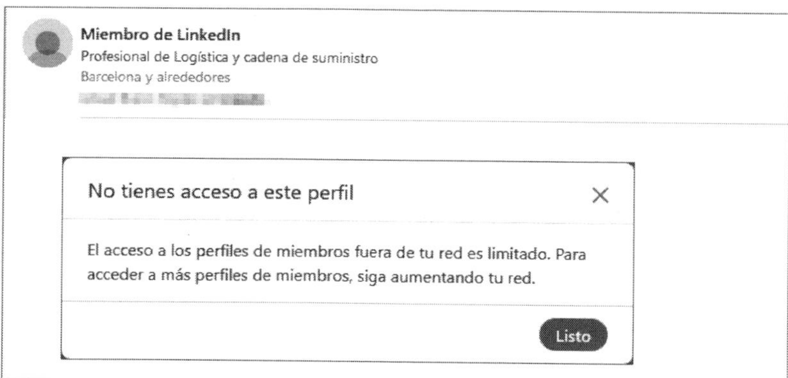

He aquí un «esquema» que representa el circuito de contactos en LinkedIn:

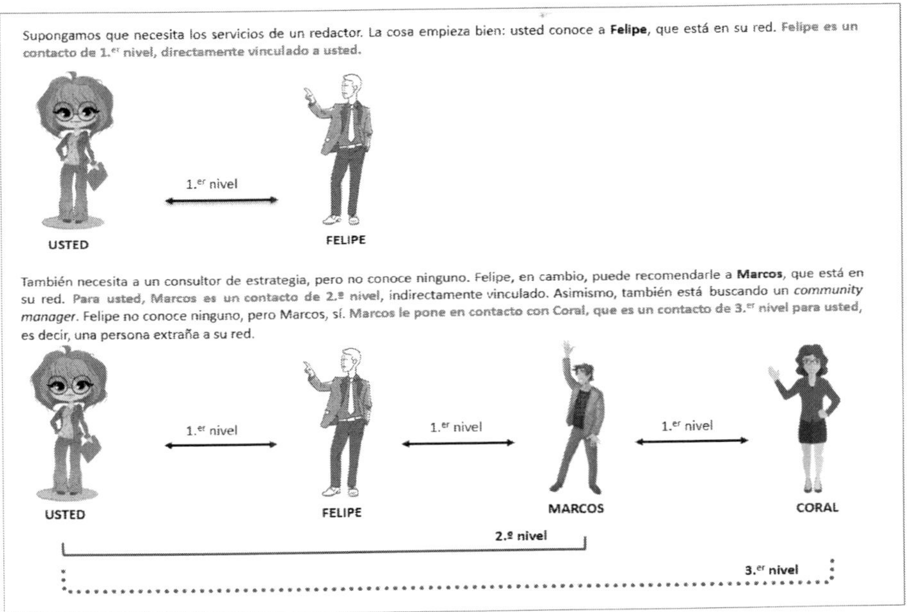

En LinkedIn, las conexiones se hacen por capilaridad: puede ponerse en contacto con personas que conocen sus contactos. Como es lógico, cuantos más contactos de primer nivel tenga, más contactos de segundo y tercer nivel tendrá también.

D. Cómo construir su red

Como primer paso, comience por invitar a amigos y familiares, ya que es más probable que le brinden apoyo continuado en su vida profesional, tal y como recomienda LinkedIn (https://blog.linkedin.com/2019/october/25/your-professional-network-can-help-you-succeed).

Luego continúe con los contactos existentes, como excolegas, compañeros de clase, clientes, colaboradores, socios que pueden presentarle sus propias conexiones, recomendarlo a terceros o dar fe de sus aptitudes. El objetivo inicial es alcanzar un mínimo de treinta contactos para tener un *feed* de noticias más robusto, iniciar conversaciones y acceder a historias interesantes.

En segundo lugar, concéntrese en sus objetivos conectándose con personas que coincidan con sus criterios de búsqueda o que formen parte de los mismos grupos que usted, por ejemplo; luego, encárguese de las personas fuera de su red, es decir, sus círculos de contactos; las personas que consultan su perfil (y que inevitablemente se habrán sentido atraídas por uno o más elementos que les han llamado la atención) y las personas sugeridas por LinkedIn.

1. Invitar a contactos ya existentes

LinkedIn le permite importar los contactos que tenga en programas de correo electrónico, como Gmail, Yahoo!, Outlook y otros.

✎ En la barra de menús de la página de inicio, haga clic en **Mi red**.

- En la columna de la izquierda, en la parte inferior, haga clic en la opción **Amplía tu red**.

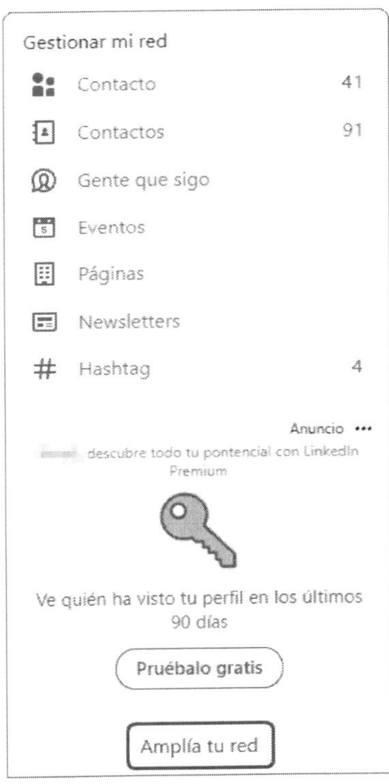

- Se abre una ventana, con su dirección de email ya indicada en el cuadro correspondiente. Haga clic en el botón **Continuar** o seleccione los servicios de correo que le interesen.

- Se le pedirá que introduzca la contraseña de su correo y a continuación LinkedIn solicitará autorización para acceder a su cuenta e identificar a las personas que hay que invitar. Si tiene más de una cuenta de Google, deberá seleccionar aquella con la que desea trabajar.

Ahora que ya ha consolidado las bases de su red con contactos de conocidos, debe ir hacia otros niveles para ampliar sus horizontes y explorar nuevas posibilidades.

a. Dirigirse a las personas según las sugerencias de LinkedIn

LinkedIn sugiere personas para agregar a su red, según los puntos en común entre usted y otros miembros de LinkedIn, así como los contactos que ha importado de su correo electrónico y de las libretas de direcciones del correo electrónico o del móvil.

- Personas de los grupos a los que pertenece.
- Personas con papeles similares al suyo.
- Personas que quizás conozca en su área.
- Más sugerencias para usted, hashtags populares que seguir o incluso páginas empresariales. De hecho, si ha añadido recientemente alguien nuevo a su red, LinkedIn le presentará sugerencias de conexión que se encuentran en la red de ese nuevo contacto. Si ha agregado a más de una persona de la empresa X, LinkedIn puede sugerir empresas similares a X en las que podría estar interesado.

¿Cómo ver estas posibles afinidades? En su página de inicio, en la barra de menús, haga clic en **Mi red**. Visualizará a las personas de acuerdo con los criterios mencionados anteriormente.

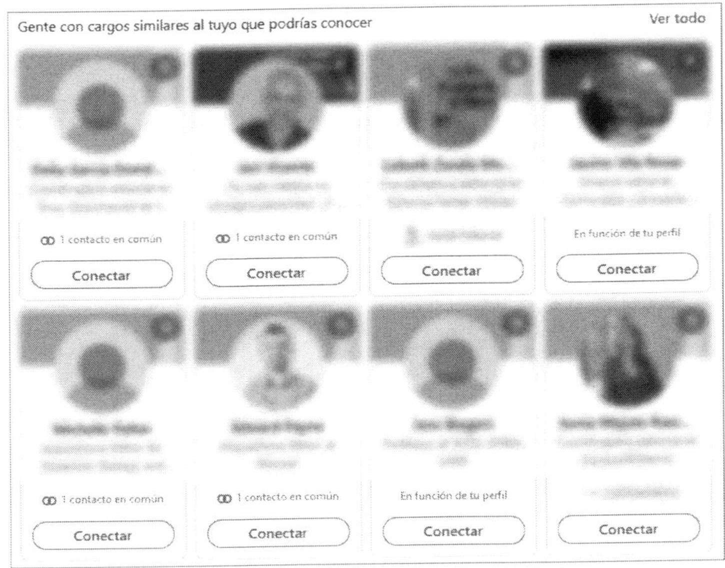

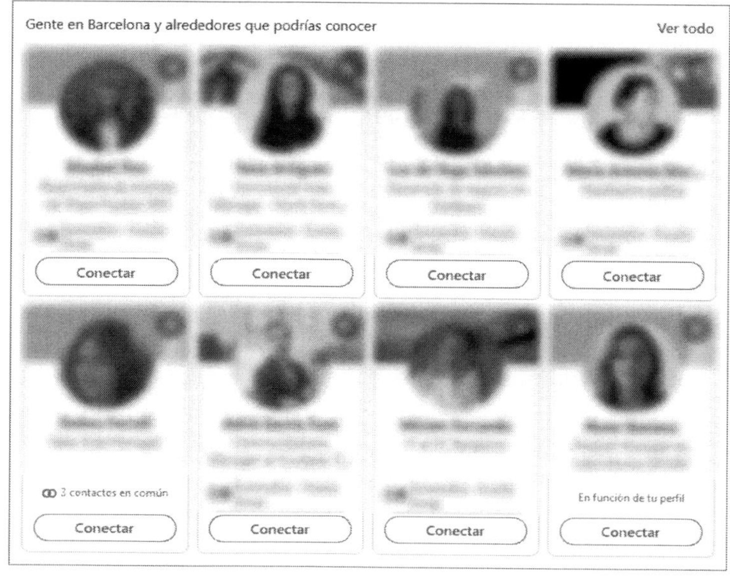
Gente en Barcelona y alrededores que podrías conocer
Ver todo
Conectar
Conectar
Conectar
Conectar
3 contactos en común
Conectar
Conectar
Conectar
En función de tu perfil
Conectar

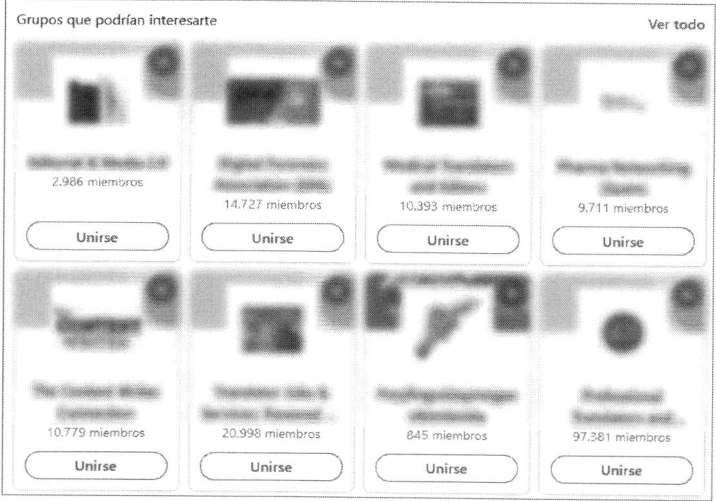
Grupos que podrían interesarte
Ver todo
2.986 miembros
Unirse
14.727 miembros
Unirse
10.393 miembros
Unirse
9.711 miembros
Unirse
10.779 miembros
Unirse
20.998 miembros
Unirse
845 miembros
Unirse
97.381 miembros
Unirse

Tenga en cuenta que, si hace clic en el botón **Conectar** debajo del perfil del miembro, no podrá personalizar su solicitud de conexión.

Observe que puede eliminar las sugerencias para evitar que los miembros propuestos aparezcan en esta lista durante los próximos seis meses.

No verá ninguna sugerencia:

- si ha invitado a todas las sugerencias disponibles;
- si ha eliminado todas las sugerencias disponibles;
- si no hay actualmente ninguna sugerencia;
- si falta información importante en su perfil, como sus empresas, sus puestos, las escuelas a las que asistió o su campo de actividad.

Para eliminar una sugerencia, haga clic en la crucecita que aparece en la parte superior derecha del perfil sugerido:

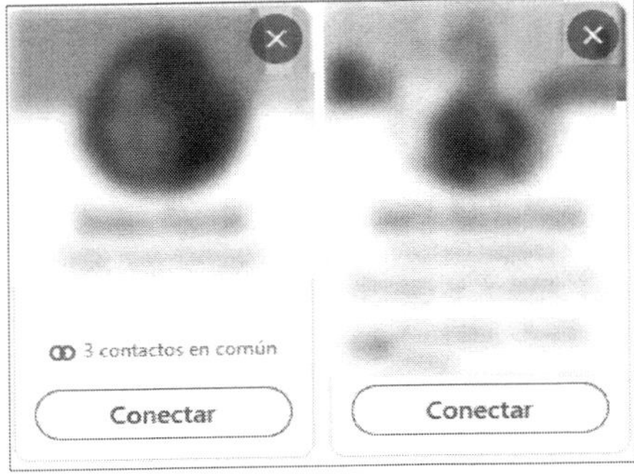

2. Utilizar la búsqueda avanzada

Otra excelente manera de expandir estratégicamente su red es la herramienta de búsqueda avanzada de LinkedIn. Dispone de numerosos filtros para realizar su consulta (niveles de relación, lugares, empresas actuales y anteriores, sectores, idioma del perfil, centros educativos).

- En la zona de búsqueda de la barra de menús, escriba, por ejemplo, el cargo de las personas a las que quiere dirigirse.

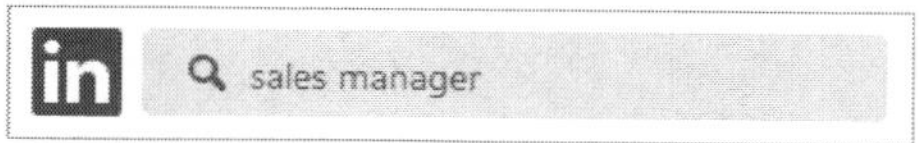

- Confirme.
- Aparece una nueva barra de menús; elija **Personas**.

- A continuación seleccione **Todos los filtros**.

Afine su búsqueda especificando los criterios que le convengan.

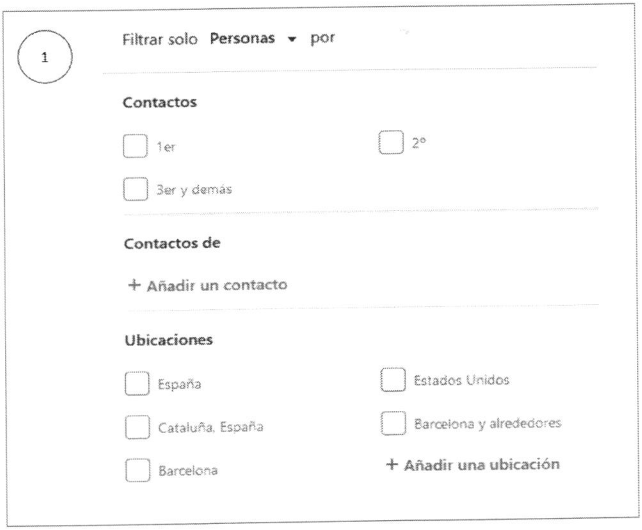

1

Filtrar solo **Personas** ▾ por

Contactos

- [ ] 1er
- [ ] 2º
- [ ] 3er y demás

Contactos de

+ Añadir un contacto

Ubicaciones

- [ ] España
- [ ] Estados Unidos
- [ ] Cataluña, España
- [ ] Barcelona y alrededores
- [ ] Barcelona

+ Añadir una ubicación

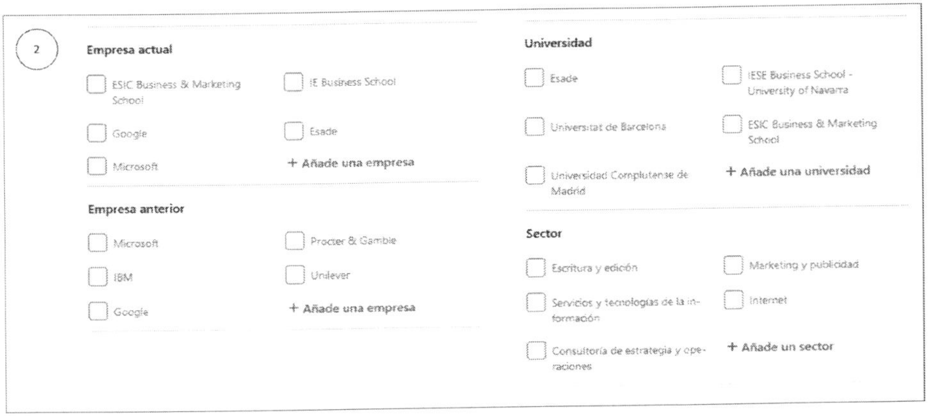

2

Empresa actual

- [ ] ESIC Business & Marketing School
- [ ] IE Business School
- [ ] Google
- [ ] Esade
- [ ] Microsoft

+ Añade una empresa

Empresa anterior

- [ ] Microsoft
- [ ] Procter & Gamble
- [ ] IBM
- [ ] Unilever
- [ ] Google

+ Añade una empresa

Universidad

- [ ] Esade
- [ ] IESE Business School - University of Navarra
- [ ] Universitat de Barcelona
- [ ] ESIC Business & Marketing School
- [ ] Universidad Complutense de Madrid

+ Añade una universidad

Sector

- [ ] Escritura y edición
- [ ] Marketing y publicidad
- [ ] Servicios y tecnologías de la información
- [ ] Internet
- [ ] Consultoría de estrategia y operaciones

+ Añade un sector

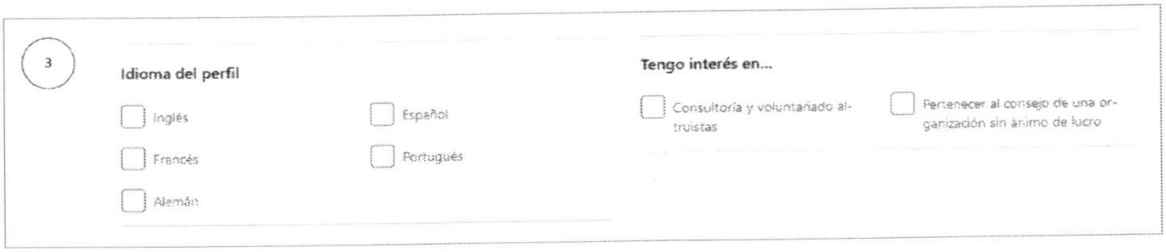

3

Idioma del perfil

- [ ] Inglés
- [ ] Español
- [ ] Francés
- [ ] Portugués
- [ ] Alemán

Tengo interés en...

- [ ] Consultoría y voluntariado altruistas
- [ ] Pertenecer al consejo de una organización sin ánimo de lucro

✎ En los resultados de la búsqueda, verá la cantidad de relaciones que tiene en común con cada persona en la lista. Haga clic en el botón **Conectar** junto a su nombre para enviarles una invitación personalizada.

También tiene la opción de guardar su búsqueda y recibir nuevos resultados por correo electrónico basados en sus criterios.

Cuando termine su búsqueda, en la columna de la derecha, verá un recuadro insertado en la parte superior.

- Haga clic en **Crear alerta de búsqueda**.

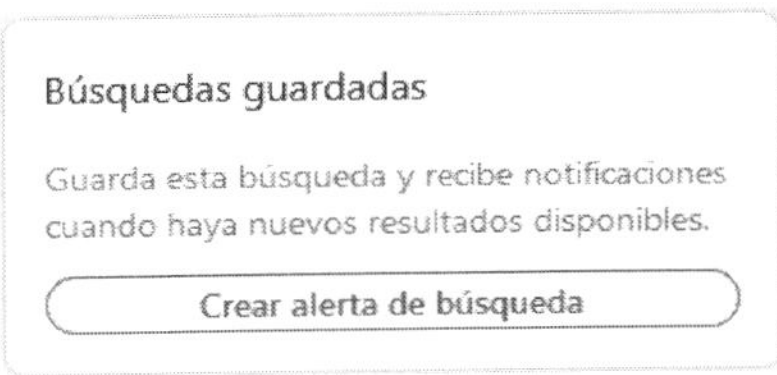

- Seleccione a continuación cómo desea recibir los resultados de la alerta. Si no está marcada la casilla **Email**, la notificación se realizará en LinkedIn; aunque se muestre en un menú desplegable, la frecuencia únicamente puede ser semanal.

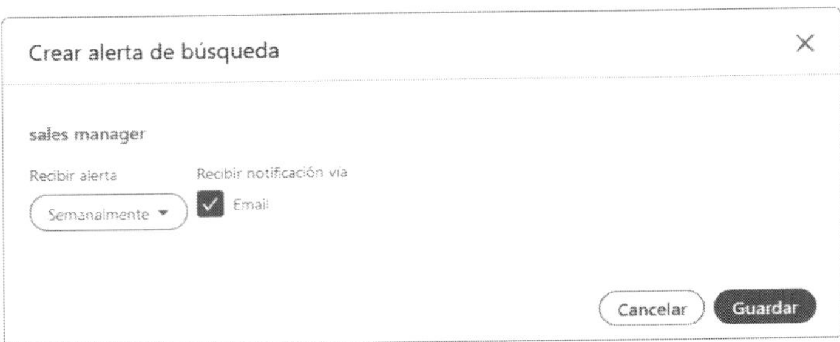

- Una vez guardada la alerta, tiene la posibilidad de modificarla o suprimirla haciendo clic en el botón **Gestionar**.

3. Rechazar una invitación

Puede rechazar una invitación si no conoce a la persona o si no tiene un interés particular en ella. Esto eliminará la invitación sin aceptarla y no se notificará al remitente que usted ignoró la invitación; por lo tanto, puede intentar conectarse con usted de nuevo. También puede seleccionar la opción **No conozco a «Nombre»** que aparece después de hacer clic en **Ignorar**; esto evitará que ese miembro le envíe nuevas invitaciones.

- En la barra de menús, haga clic en **Mi red**.

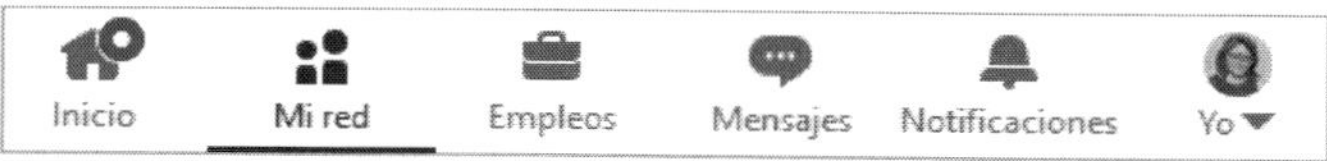

- En la zona **Invitaciones**, haga clic en **Gestionar**.
  Podrá ver las invitaciones recibidas.
- Si desea rechazar la propuesta, haga clic en **Ignorar**.

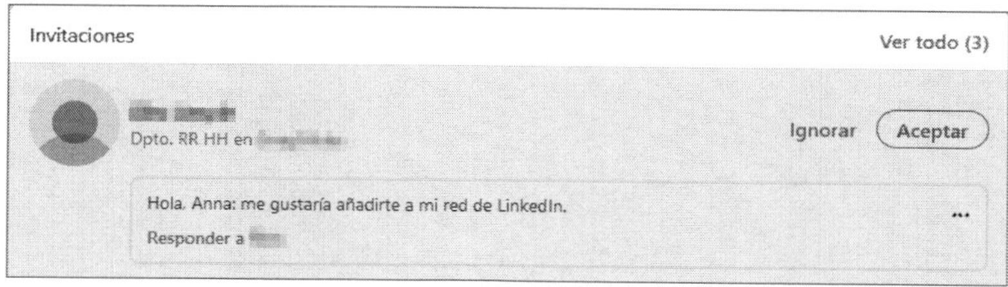

- Una vez que haya hecho clic en **Ignorar**, verá que aparece el siguiente mensaje:

Tenga en cuenta que un miembro que recibe una gran cantidad de «No conozco a...» puede acabar con su cuenta restringida o suspendida por LinkedIn.

A veces o con frecuencia, dependiendo de su perfil, recibirá solicitudes de conexión de personas que no conoce. En ese caso, pregúnteles qué les impulsa o motiva a querer unirse a su red.

4. Retirar invitaciones

Si desea rectificar una solicitud de invitación para unirse a su red, es decir, retractarse, puede administrar sus invitaciones. Esta opción es válida si el destinatario aún no la ha leído. A la persona a la que ha enviado la invitación no se le notificará su cancelación y no podrá reenviarle una nueva solicitud por un período de tres semanas.

- En la barra de menús, haga clic en **Mi red**.

- En las invitaciones enviadas, haga clic en el botón **Retirar** de la persona cuya invitación desea cancelar.

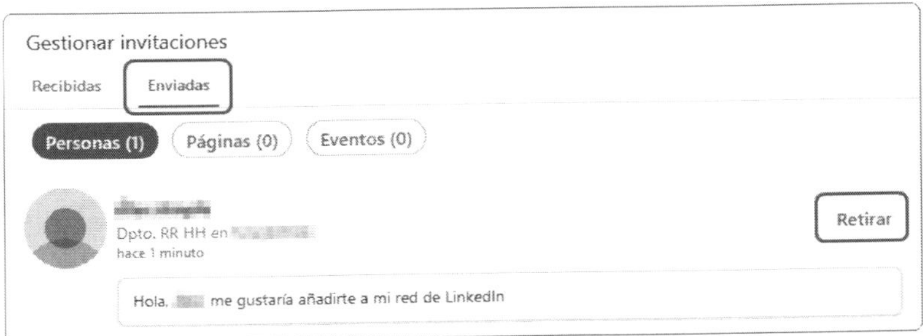

5. Eliminar contactos

La construcción de una red de calidad también implica a veces escoger y eliminar relaciones obsoletas. Dependiendo del tamaño de su red, los cambios en su horizonte profesional y su propio camino, considere hacer una pequeña actualización. Esto le permitirá mejorar tu *feed* de noticias con contactos cuya actividad y valores están alineados y son coherentes con sus intereses y aspiraciones, y lograr una mejor tasa de *engagement* en su contenido, ya que lo verán personas más relevantes. Además, puede suceder que haya contactos con los que nunca interactúa, a quienes aceptó al principio de su carrera o cuando llegó a LinkedIn y que ya no le corresponden o incluso contactos que piden con demasiada frecuencia sin aportar nunca nada.

- En su barra de menús, haga clic en **Mi red**.

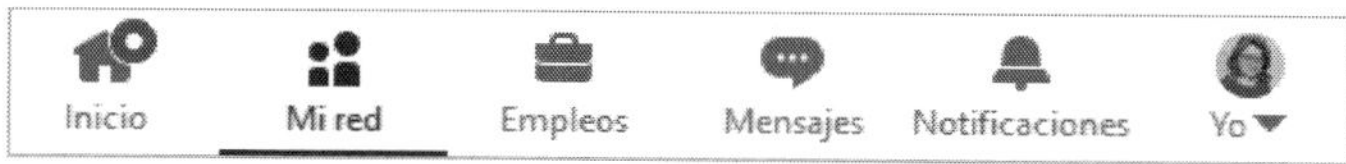

- En la parte superior de la columna de la izquierda, escoja **Contacto**.

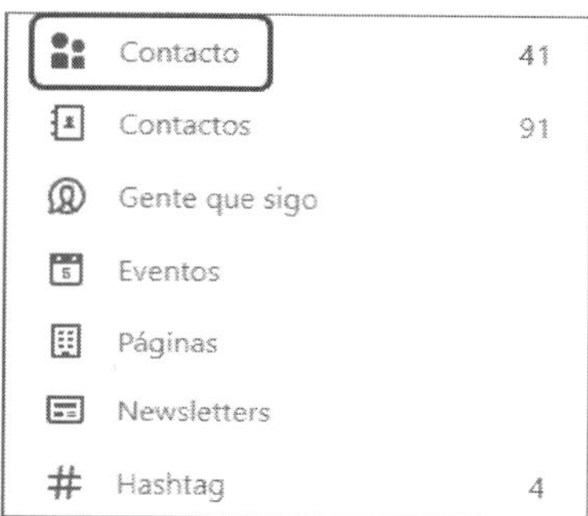

- Puede usar la herramienta de búsqueda si tiene uno o más nombres en mente para eliminar seleccionando **Buscar usando filtros** o en el menú desplegable al lado de **Ordenar por**, que le permite ordenar por agregados recientemente, apellidos, nombre.

- Una vez identificada la persona, haga clic en los tres puntos situados al lado del botón **Enviar mensaje** y, a continuación, en **Eliminar contacto**.

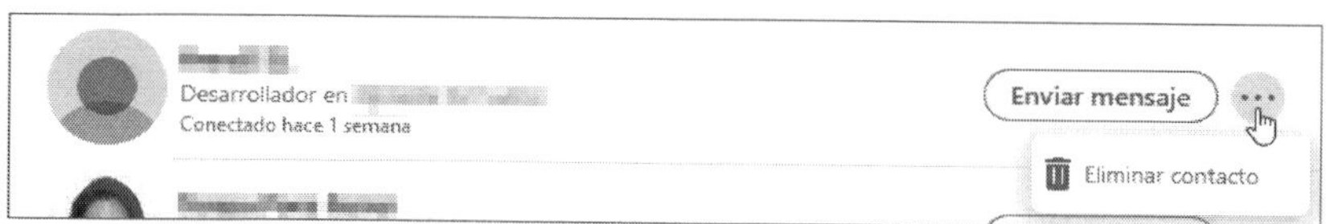

Al contacto no se le notifica su eliminación. Sin embargo, tenga en cuenta que perderá las recomendaciones o validaciones de aptitudes entre usted y esa persona y que no se recuperarán si se restablece la relación.

E. Interactuar con su red y alimentar sus relaciones (comentarios, dar las gracias por compartir contenidos, cumpleaños)

1. Interactuar con su red

Participar en conversaciones de forma regular es un medio excelente de aumentar su visibilidad y expandir su red:

- Su nombre aparece en el *feed* de noticias del miembro y consolida su presencia.
- Agrega valor a las discusiones aportando su experiencia sobre un tema.
- Obtiene más visualizaciones de perfil y solicitudes de conexión al posicionarse como un colaborador de calidad.
- Genera interés a través de comentarios con sustancia que pueden recomendarse a otras personas y dar lugar a mensajes privados para obtener consejos o proseguir con el diálogo.

Cada vez que publique contenido y sus seguidores lo comenten y lo compartan, tómese tiempo para darles las gracias. No dude en dinamizar y reactivar los debates sobre su publicación o su artículo respondiendo a cada uno; así demostrará a los demás miembros que su opinión cuenta y que le interesa lo que se dice.

En efecto: su «trabajo» no finaliza tras publicar. Al contrario, ¡aquí es cuando comienza todo! Recuerde que gracias a su red sus publicaciones permanecen «vivas»; se ganará su lealtad y su apoyo a largo plazo siempre que dedique tiempo a mantener el diálogo. Los autores que no responden a los comentarios y publican solo para obtener recomendaciones suelen detectarse y obviarse rápidamente.

¿De qué sirve tener 33 millones de fans si no se hace nada bueno con ellos?

Alexandra Wheeler

---

2. Tener interés por las notificaciones

Cuando reciba notificaciones de cumpleaños, cambios de cargo, estudios seguidos, formación completada, etc., aproveche estas ocasiones para enviar una nota personalizada. Es una excelente manera de consolidar los vínculos, mostrar interés y hacer que las personas de su red lo recuerden. LinkedIn ofrece mensajes preparados directamente para cada uno de estos eventos que solo tiene que personalizar.

✎ En la barra de menú, haga clic en **Notificaciones** y vea lo que aparece.

✎ En cada una de estas notificaciones, al hacer clic en el botón correspondiente, se crea automáticamente un mensaje y solo tiene que personalizarlo.

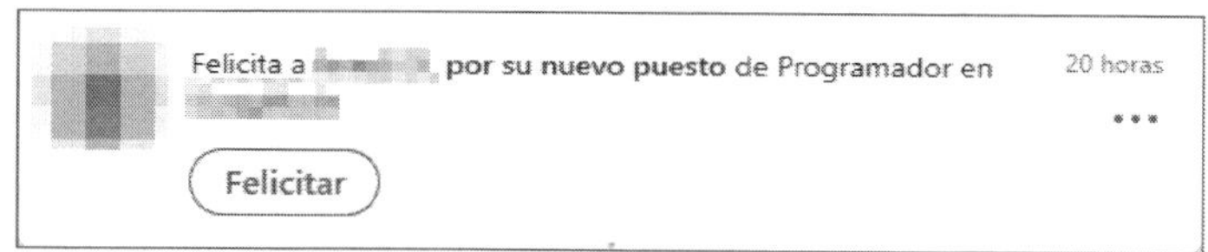

3. Utilizar los mensajes de voz en el móvil

Los mensajes de voz todavía se usan poco, aunque permiten una conexión más personal, que revela la personalidad del remitente de una forma distinta. A algunas personas con frecuencia les resulta difícil poner sus ideas por escrito o simplemente tener tiempo para redactar un texto. En casos así, el correo de voz es muy útil para comunicarse de forma más rápida y sencilla. Ahora bien: tenga cuidado de no usarlo cuando contacte con un técnico de selección o un potencial empleador; su función está reservada para los intercambios que tiene de manera recurrente con contactos próximos o de trabajo.

Puede dejar un mensaje de un minuto cada vez. Esta función solo está disponible en la versión móvil de LinkedIn.

✎ En su sistema de mensajería móvil, justo al lado del recuadro para redactar el mensaje, haga clic en el icono 🎙.

- Para grabar su mensaje, haga clic en el botón  y manténgalo pulsado.

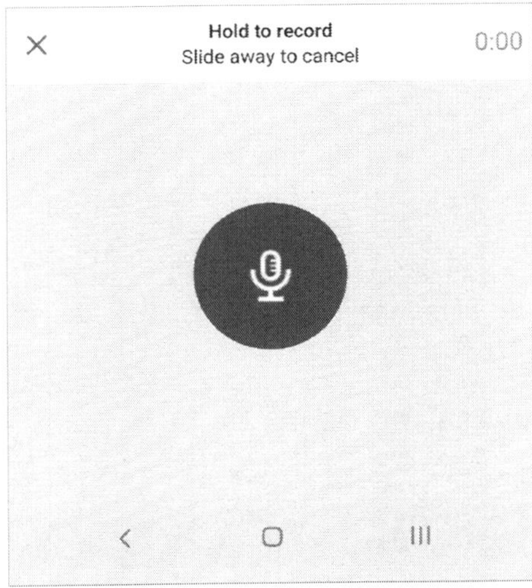

- Si no está satisfecho con el mensaje de voz, puede cancelarlo arrastrando el icono del micro hacia la izquierda, hasta que se cambia por el icono de un cubo de basura.

✎ Si el mensaje le parece bien, suelte el botón del micro. El mensaje aparecerá de este modo:

F. Personalizar sus solicitudes de conexión

Una solicitud de conexión a la red de un miembro tendrá más impacto si la acompaña con un texto personalizado. De forma predeterminada, el destinatario recibe un mensaje estándar, «Me gustaría añadirte a mi red profesional en LinkedIn», que es algo impersonal y no le permite diferenciarse del resto de las solicitudes que reciben los miembros a diario.

LinkedIn recuerda que puede aumentar su tasa en un 50 % si menciona una relación común y limita sus solicitudes a 100 palabras (https://business.linkedin.com/content/dam/business/talent-solutions/regional/es-es/c/pdfs/Guide%20personal%20branding_ES.pdf)

Dispone de 300 palabras; más que suficiente para presentarse con una sonrisa, una pequeña nota que agrade y convencer a su interlocutor.

¿Cuáles son los elementos que deben tenerse en cuenta a la hora de escribir?

- El perfil de la persona: consúltelo y trate de encontrar lo que pueda tener en común (trabajo, empresa, aptitudes, estudios, escuelas, grupos, causas, etc.).
- Los cumplidos: si la persona tiene un perfil original que le llama la atención, ¡dígaselo! Es una excelente manera de «romper el hielo» y comenzar una conversación.
- Compartir su historia: sin entrar en detalles, brinde información básica sobre lo que está haciendo, su trayectoria o un proyecto que pueda despertar la curiosidad e interés de su interlocutor. Asegúrese de que su perfil esté completo al 100 %, porque, si esta persona quiere saber más, su reflejo será leerlo... ¡dele la bienvenida como es debido!

Corrija antes de enviar nada; su ortografía debe ser una garantía de credibilidad, especialmente en una red profesional.

Un pequeño consejo: prepare en su móvil y en su ordenador, con su herramienta Notas, por ejemplo, un mensaje que pueda sustituir a la invitación estándar. Ahorrará tiempo; luego, una vez aceptada la invitación, ya enviará un mensaje más personalizado.

Hola X

Me gustaría que te unieras a mi red. Espero poder charlar contigo. Gracias y hasta pronto, X.

1. Redactar invitaciones personalizadas

He aquí algunos ejemplos en los que inspirarse y que puede adaptar según sus necesidades. Sobre todo, no copie-pegue; cada interlocutor es diferente. ¡No va a escribir el mismo mensaje a un cliente que a un excolega!

- Para colegas

Tome nota de sus logros, sus fortalezas o los proyectos en los que han trabajado juntos... ¡o recuerde pequeñas anécdotas frente a la máquina de café!

Hola, X:

Siempre es un placer trabajar contigo. Tu buen humor y tu conocimiento de Word son realmente apreciables. He visto que no estábamos en contacto en LinkedIn. ¿Podemos arreglarlo? Que tengas un buen día, X

- Para un nuevo colega

No siempre es fácil ser el nuevo empleado, así que hágale saber que está impaciente por trabajar con él o que está disponible para él.

Hola, X:

Estoy encantado de darte la bienvenida a nuestra agencia. No dudes en ponerte en contacto conmigo si necesitas más información o si simplemente quieres hablar. Que tengas un buen día, X

- Para un excolega

Recuérdele brevemente cuándo, dónde y cómo trabajó con él.

Hola, X:

Trabajamos juntos en el departamento XXX de la firma XXX desde 2005 hasta 2007. Veo que, laboralmente, has avanzado mucho desde entonces y me encantaría saber de ti mientras tomamos un café. Cordialmente, X

- Para aprovechar una posible oportunidad en la empresa de la persona con la que contacta

Supongamos que quiere unirse a una empresa en la que trabaja uno de sus contactos. Presente rápidamente la experiencia o aptitudes que crea que son relevantes para el puesto deseado.

Hola, X:

Mientras realizaba algunas búsquedas, he visto que trabajas para XXX, una empresa a la que me gustaría unirme como XXX. He realizado tareas similares y tengo buenas aptitudes en XXX. ¿Crees que podría unirme a tu red y, si lo consideras útil, enviarte mi CV? Gracias por tu atención, X

- Para un técnico de selección

Los técnicos de selección a menudo acaban sepultados de solicitudes, por lo que debe personalizar su solicitud para diferenciarse de otros candidatos. ¡Demuestre sus virtudes y su voluntad!

Apreciado X:

Estoy atento a nuevas oportunidades y veo que estás buscando perfiles en el campo de XXXX. Cuento con más de XX años de experiencia y aptitudes contrastadas en XXX. Me gustaría saber si mi candidatura podría ser de tu interés. Estoy a tu disposición para cualquier consulta. Saludos, X

- Para alguien a quien conoció en un evento

Si ha conocido a alguien en un evento, no dude en contactar rápidamente con él en LinkedIn, mientras aún se acuerde de usted. ¡Considérelo una «secuela» de su primer encuentro!

Hola, X:

Fue un placer conocerte en la conferencia XXXX. Realmente disfruté de nuestros intercambios sobre XXX. Te invito a que te unas a mi red para que podamos seguir compartiendo nuestras áreas de interés. Será un placer leerte. Que tengas un buen día, X

- Para un ex compañero de clase

Preséntese con información general sobre sus antecedentes y muestre su interés en retomar en contacto.

Hola, X:

He visto tu nombre en mi feed de noticias. Estuvimos en la misma clase en el instituto XXX en XXX. Después de varias experiencias en el sector de XXX, finalmente creé mi empresa de XXX. Y tú, ¿a qué te dedicas actualmente? ¡Me encantaría saber más! Hasta pronto, X

- Para una persona del mismo grupo de LinkedIn

Indique que ambos forman parte del mismo grupo para crear inmediatamente un punto en común. Luego demuestre que le gustan las intervenciones de esta persona.

Hola, X:

Ambos somos miembros del grupo de LinkedIn XXX y quería decirte que realmente aprecio tus artículos y tus consejos. Me gustaría invitarte a que te unieras a mi red y conocer un poco más sobre tu trabajo y tus proyectos. Que tengas un buen día, X

- Para uno de sus clientes

Recuerda el contexto del proyecto en el que trabajó y allane el camino para futuros proyectos.

Buenos días, X:

Estoy encantado de haberle podido acompañar en su proyecto XXX. Muchas gracias por su confianza. Espero, al invitarlo a unirse a mi red, que descubra de manera más completa mis aptitudes y experiencia para tener otra oportunidad de trabajar con usted. Será un placer intercambiar ideas e impresiones. Sinceramente, X

- Para uno de sus «pares» en LinkedIn

Tener contactos en el mismo sector es una buena forma de fortalecer el espíritu solidario y desarrollar posibles alianzas.

Hola, X:

A menudo veo tus publicaciones en mi hilo y las encuentro muy relevantes. Me gusta mucho la forma en que presentas tus consejos y me gustaría invitarte a mi red para que podamos compartir nuestra experiencia. Deseando conocerte mejor, recibe un saludo cordial, X

G. Visibilidad de sus contactos

Tiene la posibilidad de ocultar sus conexiones en su perfil. En la mayoría de los casos, los miembros que eligen esta opción desean proteger su lista de contactos (que puede contener clientes potenciales o confirmados, socios...) por razones competitivas o confidenciales (abogados, vendedores, corredores, altos ejecutivos, técnicos de selección, en particular) y evitar, de este modo, que terceros puedan realizar investigaciones o vengan a «servirse» a su red.

Sin embargo, recuerde que bloquear su lista de contactos puede verse como una actitud hostil que contradice el propósito de una red social abierta. Al publicar sus contactos, permite que los miembros conecten con personas que están en su red y que no comparten con usted. De este modo, se posiciona como una referencia sólida que contribuye a vincular a los miembros entre sí. ¡Su puerta está abierta y se le aprecia por eso!

De forma predeterminada, sus contactos de primer nivel conocen el número y la identidad de sus contactos compartidos. Por lo tanto, pueden navegar por su red y encontrar amigos o colegas en común.

- ¿Cómo esconder los contactos? En la barra de menú, haga clic en **Yo**, luego en **Configuración y privacidad**.
- En la sección **Visibilidad**, subsección **Visibilidad de tu perfil y tu red**, haga clic en **Quién puede ver tus contactos** y, en el menú desplegable, elija **Solo tú**. El cambio se guarda automáticamente.

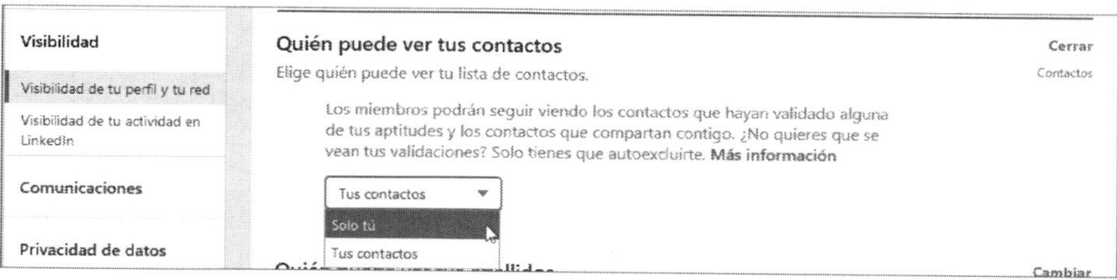

- Cuando un perfil oculta sus contactos, no es posible hacer clic en ellos para acceder a la red de dicho perfil.

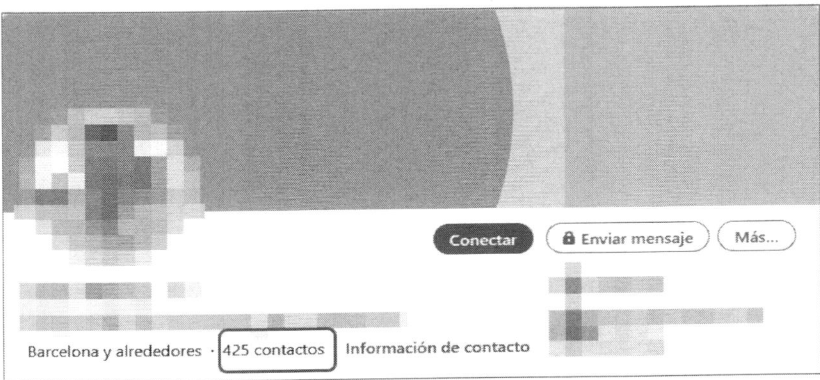

- Cuando un perfil no oculta sus contactos, estos aparecen en azul, como un hipervínculo en el que se puede hacer clic.

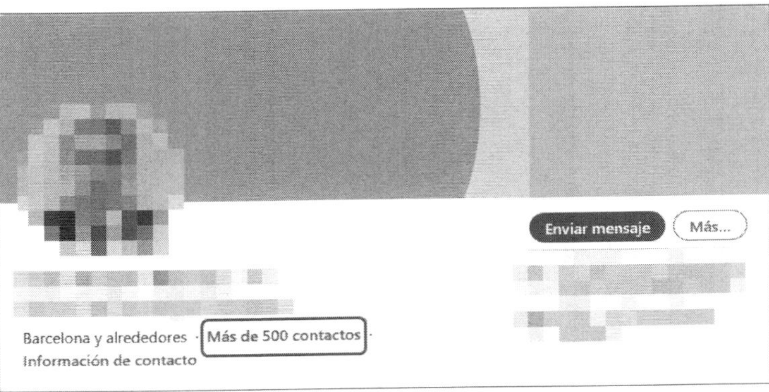

Tenga en cuenta que, aunque cierre su red, alguien que busque un nombre específico aún puede conectarse directamente con él. Por ejemplo, supongamos que Nadia es una persona que oculta sus contactos. Pedro está conectado con Nadia y no puede buscar a una persona X a través de su perfil. Pero si utiliza el buscador de LinkedIn, encuentra el contacto y hace clic en **Contactos en común**, verá el nombre de Nadia.

1. Ver los contactos en común

✎Para ver los contactos que comparte con otro miembro, vaya a su perfil y consulte el apartado **Datos destacados**.

H. Unirse a grupos

Los grupos de LinkedIn le permiten reforzar sus vínculos con otros profesionales en un espacio exclusivo.

¿Para qué sirven?

1. Para compartir conocimientos, experiencias, recursos
2. Para hacer preguntas, buscar y dar consejos
3. Para hablar de tendencias y de las noticias relacionadas con su sector
4. Para planificar eventos de networking
5. Para identificar socios/clientes potenciales o personas útiles para su carrera
6. Para consolidar su *expertise* publicando contenido de calidad que refuerce su credibilidad (no obstante, tenga cuidado de no utilizar estos grupos para autopromocionarse, ya que rápidamente se le considerará un emisor de *spam*)
7. Para expandir su visibilidad participando activa y regularmente en debates
8. Para realizar la curación de contenido al interesarse por las tendencias de su sector

Los grupos son un buen trampolín para comenzar a construir su red y sentirse cómodo interactuando con otras personas en un entorno propicio al intercambio y privado. En efecto: su actividad no se hará pública ni se mostrará a los contactos que no sean miembros de este grupo. Solo los miembros del grupo pueden ver sus publicaciones y comentarios en su *feed* de LinkedIn.

Otra ventaja importante es que LinkedIn permite a los miembros de un grupo enviarse mensajes entre sí sin que estén conectados. En otras palabras, si hay miembros de 2.º y 3.er nivel en el grupo, puede contactar con ellos directamente, algo que no es habitual. Tenga en cuenta que debe haber sido miembro durante al menos treinta días para poder enviar mensajes a otros miembros del grupo y el límite se establece en quince mensajes por mes (todos los grupos combinados, no para cada grupo individualmente). Si excede esta cantidad, recibirá un mensaje de error.

No puede unirse a más de cien grupos y puede tener hasta veinte grupos en espera.

¿Cómo unirse a un grupo?

- Haga clic en el enlace dedicado a la página de LinkedIn **Grupos**: https://www.linkedin.com/groups/ (también puede guardar esta dirección en sus favoritos para acceder a la página fácil y rápidamente).

  O bien, en la barra de búsqueda de LinkedIn, introduzca su palabra clave; por ejemplo, «copywriting», y a continuación haga clic en el botón **Grupos** de la barra que aparece justo debajo.

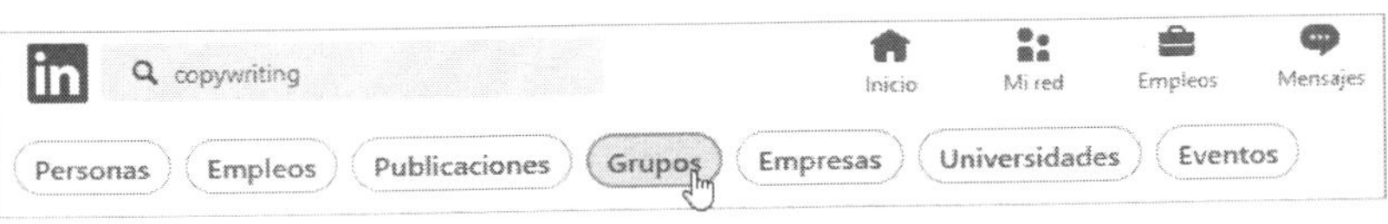

Se muestra una lista de grupos con un texto descriptivo para que pueda identificar los que le interesan. Vamos a escoger el primero de esta lista.

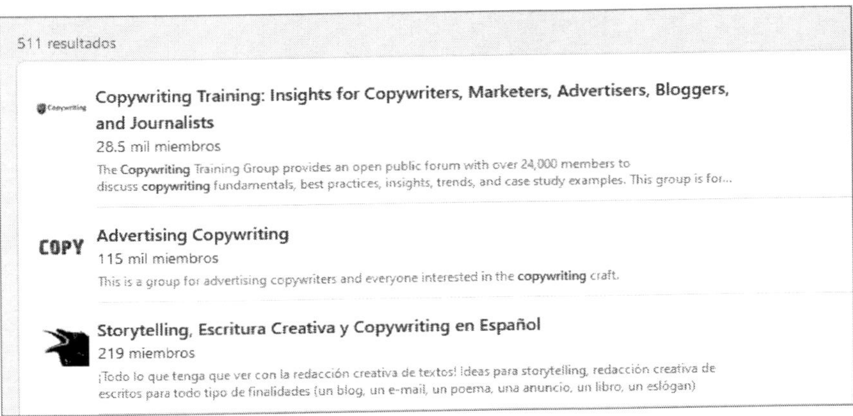

- Para unirse a él, haga clic en el botón **Solicitud de admisión**.

- Su solicitud se someterá a la aprobación del administrador del grupo; recibirá una alerta en sus **Notificaciones**.

Copywri ¡Te damos la bienvenida a **Copywriting Training: Insights for Copywriters, Marketers, Advertisers, Bloggers, and Journalists!** 5 días

¿Cómo se presenta un grupo?

Cada grupo proporciona información útil, como el número de miembros, una descripción de los objetivos del grupo, las normas que hay que respetar y el nombre de los administradores.

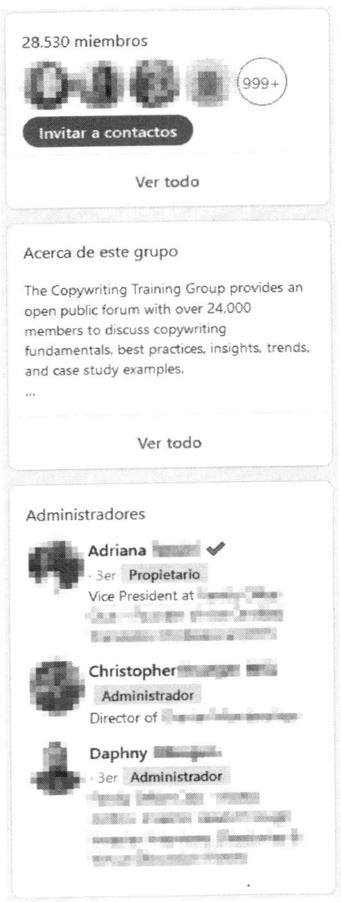

Al hacer clic en **Invitar a contactos**, se abre una ventana en la que puede elegir los contactos que le interesen; selecciónelos marcando las casillas que aparecen al lado de los nombres.

Tenga en cuenta que la solicitud se envía sin permitirle personalizar la invitación. Recibirá una notificación de envío.

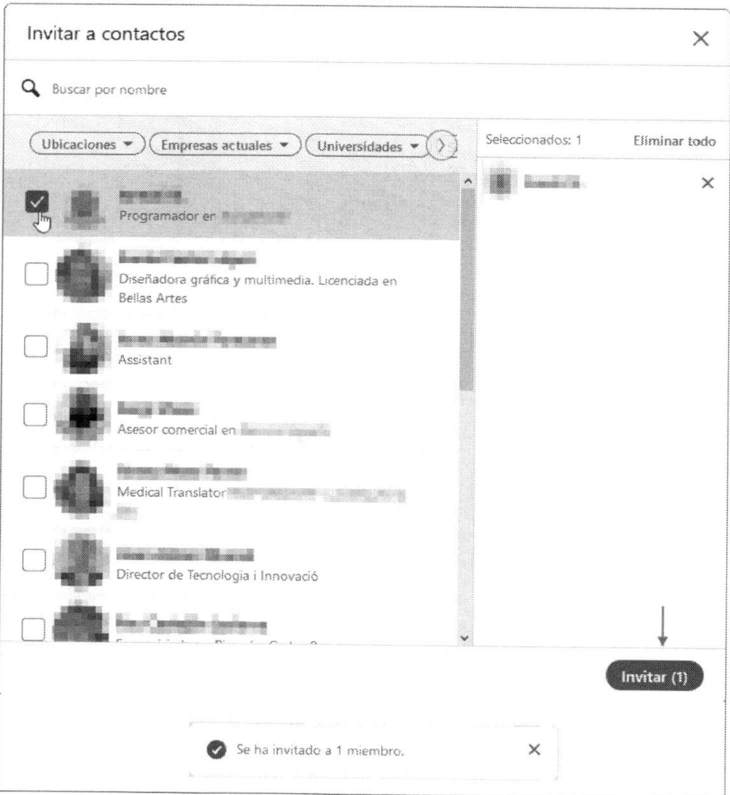

¿Cómo gestionar sus preferencias para el grupo?

- Para administrar sus preferencias, vaya a la página de inicio del grupo. En el módulo del encabezado, utilice las opciones que se despliegan al hacer clic en el botón de los tres puntos:

- Haga clic en el botón ⚙ para acceder directamente a su configuración.

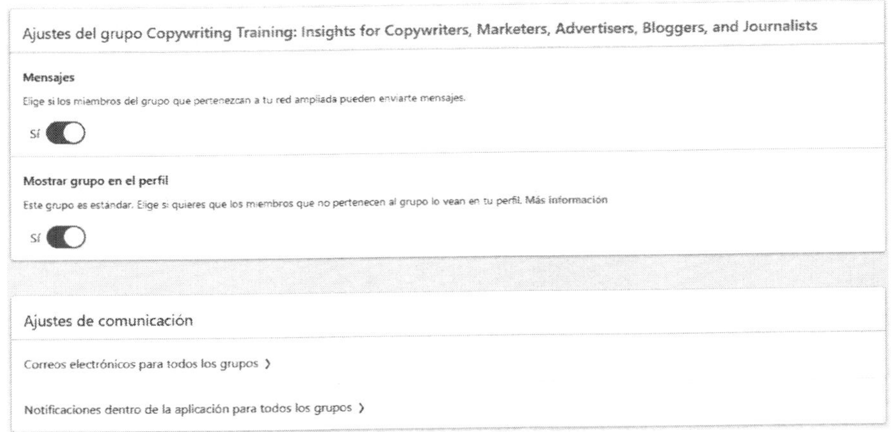

- Con el resto de los iconos puede activar y gestionar las notificaciones sobre publicaciones nuevas del grupo, abandonar el grupo o denunciarlo.

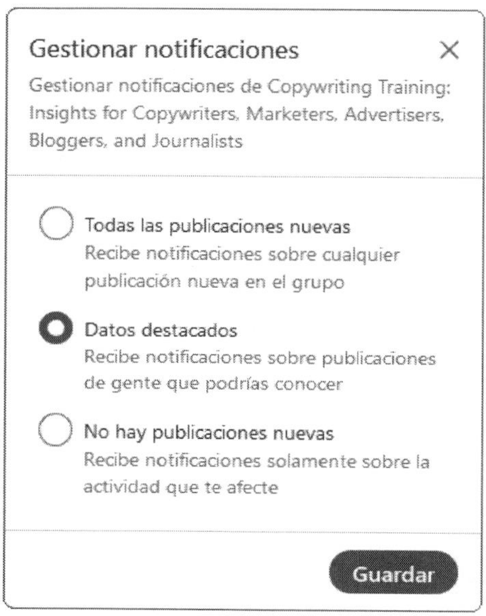

¿Cómo ver los grupos de los que es miembro?

Puede ver sus grupos y acceder a ellos desde su página de inicio, en la columna de la izquierda.

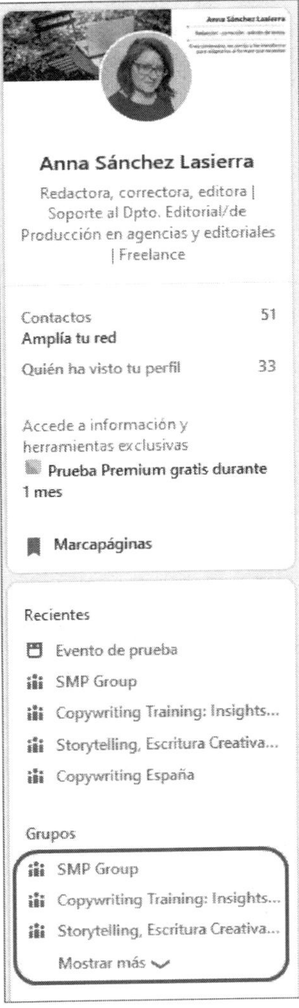

En el recuadro **Intereses** de su perfil, haga clic en **Ver todo**.

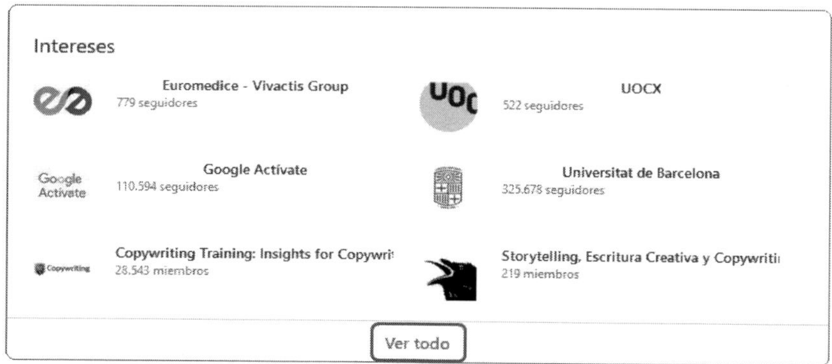

Entre sus intereses aparecen los grupos a los que se ha suscrito.

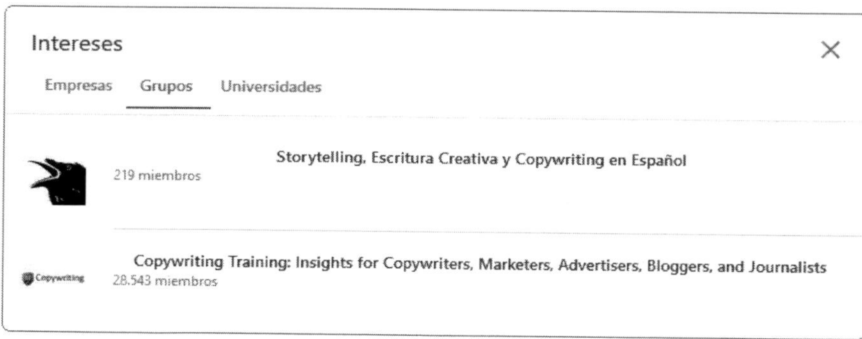

I. Crear un evento

Tiene la posibilidad de crear un evento directamente desde LinkedIn y gestionar de forma sencilla todo el proceso previo y posterior. Se trata de una buena manera de conocer físicamente su red y establecer relaciones profesionales más profundas. ¡Le basta con un clic para ganar autenticidad! Y, como ya sabe, los encuentros cara a cara conducen a interacciones más nutridas, más espontáneas y más comprometidas.

✎ En la columna izquierda de su página de inicio, haga clic en el signo + a la derecha de **Eventos**.

Tras hacer clic en el signo +, aparece una nueva ventana en la que puede completar algunos datos relacionados con su evento.

- Una imagen de fondo (elija una pertinente, que represente, por ejemplo, la temática de su evento o el emplazamiento en el que tendrá lugar).
- Un logo (que puede ser también una foto de usted o de su equipo).
- Nombre del evento (claro, contundente, tentador).
- Lugar.
- Información sobre el lugar (detalles como la planta, la sala, la escalera, etc.).
- Fecha y hora de inicio y finalización.
- Huso horario.

- Descripción del evento. Esta parte es interesante porque permite resaltar el tema, los ponentes, el desarrollo, etc. Dispone de suficiente texto (5000 caracteres) para despertar la curiosidad de los miembros, asegurar una buena promoción de su evento y comenzar a «crear ambiente».
- URL externa (hacia una ventanilla si el registro es de pago).

✎ He aquí la página tal y como se presenta:

La página del evento le permite completar un máximo de detalles sobre lo que ofrece; dependiendo de la ubicación, su nombre aparecerá automáticamente en la lista propuesta por LinkedIn, junto con su dirección.

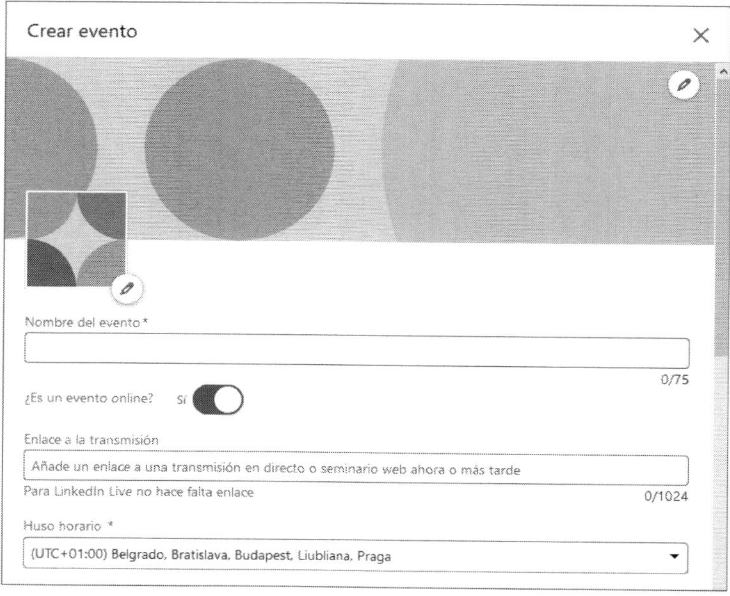

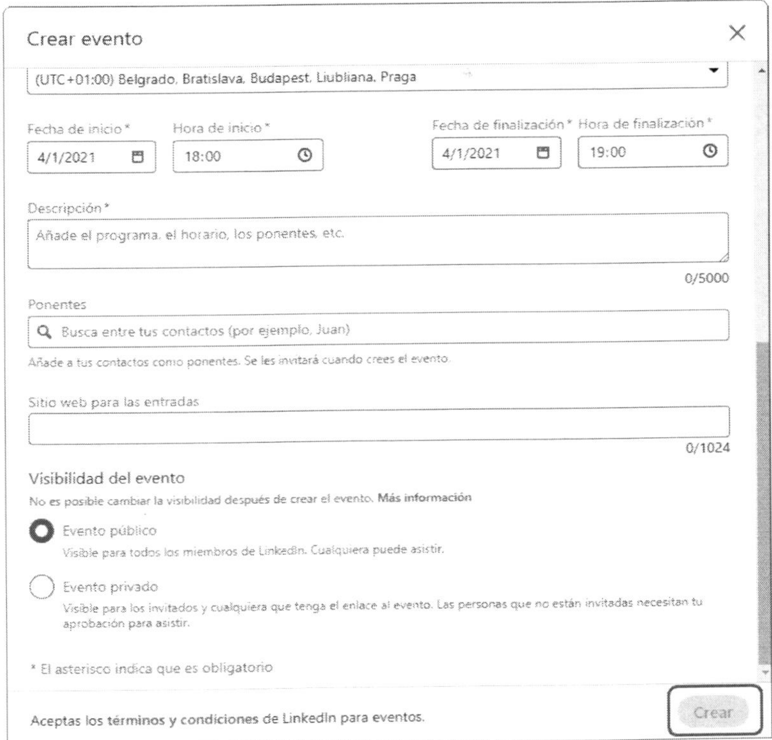

Haga clic en el botón **Crear** una vez completados los campos.

Algunas observaciones:

- Si elige que su evento sea privado, solo los invitados o las personas con acceso al enlace podrán ver el evento. Las personas que no están invitadas deben obtener su aprobación para participar, pero los asistentes pueden invitar a sus contactos si ha marcado la casilla correspondiente.
- Los asistentes recibirán automáticamente una notificación para informarles de cualquier cambio en la fecha, hora o ubicación de un evento.

Los eventos privados se utilizan para ocasiones especiales con personas cercanas o una red más pequeña; por ejemplo, para una firma de libros. Los eventos públicos están específicamente dedicados a un grupo más grande de personas, a las que busca conocer mejor a través de un *afterwork*, un taller, una conferencia, una reunión de antiguos compañeros, etc. La ventaja de esta página **Eventos** es que podrá dialogar antes y después del evento, lo que realmente le permitirá conocer más a fondo a los asistentes y forjar vínculos duraderos.

Una vez se ha creado el evento, se le devuelve directamente a la página específica donde puede administrar un determinado número de elementos: se trata del panel de su evento.

Se muestra su página **Eventos**. Usted es **Organizador** y dispone de una vista de conjunto de toda la información.

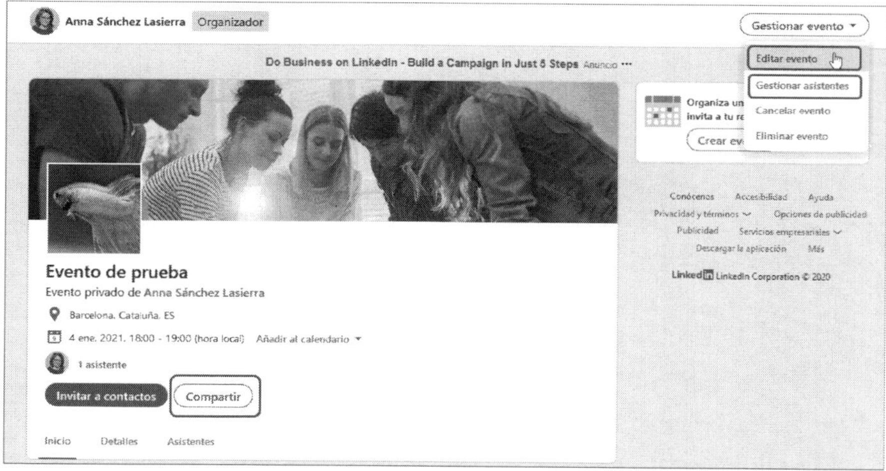

- Haciendo clic en el botón **Gestionar evento**, puede acceder a la opción **Gestionar asistentes**, donde puede comprobar quiénes son los **Invitados**, retirar las invitaciones enviadas y ver las solicitudes recibidas.

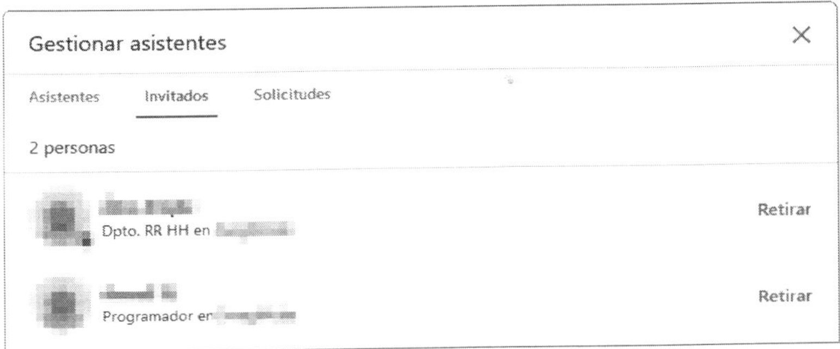

Una vez enviadas las invitaciones para su evento, puede gestionarlas, es decir, controlar quién puede asistir: bien eliminando un participante (tenga cuidado, ya que el afectado recibirá una notificación) o retirando una invitación enviada. Debajo de la lista de invitados, verá las invitaciones pendientes, que corresponden a personas que aún no han respondido a la invitación.

✎ La opción **Editar evento** del botón **Gestionar evento** permite añadir o cambiar elementos; también puede cancelar el evento.

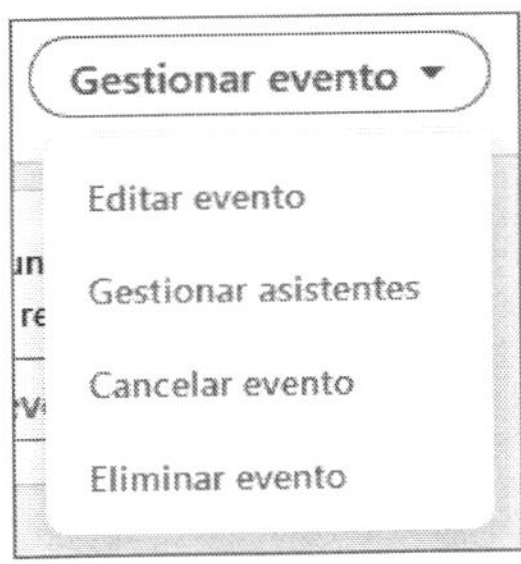

El botón **Compartir** ofrece diversas opciones para que pueda comunicar la celebración de su evento:

Tome nota:

- **Asistentes**: son las personas que han aceptado su invitación a asistir al evento.
- **Invitados**: son las personas que aún no han respondido a su invitación a asistir al evento.
- **Solicitudes**: son las personas que han solicitado su permiso para asistir al evento. Usted ha recibido estas solicitudes porque alguien ha compartido su evento privado y un miembro desea asistir a él.

Directamente desde la página del evento, dispone de diversos medios para promocionarlo. Únicamente podrá lanzar publicaciones de su evento si este es público.

Veamos lo que puede hacer con alguna de estas opciones:

- Haga clic en el botón **Invitar a contactos** para seleccionar algunos de ellos; puede añadir filtros para localizar con mayor precisión (ubicaciones, empresas, universidades, sectores) los contactos a los que quiere invitar.

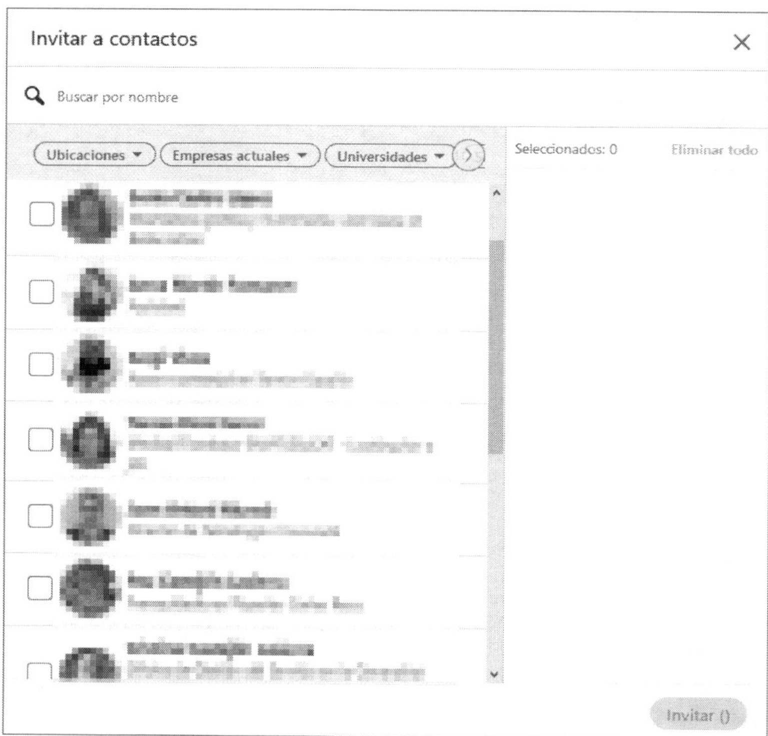

- Haga clic en el botón **Compartir** y, a continuación, en **Compartir como publicación**. Se abre una publicación con un texto formateado, a punto para usarse. Evidentemente, es mejor que lo personalice.

La opción **Empieza una conversación en este evento** también le ofrece la oportunidad de hablar de su evento a través de una publicación, pero sin un texto listo para enviar (debe redactarlo de cero).

- Haga clic en dicho enlace. Se difunde una publicación en la que aparece con el icono de evento; este icono le permite distinguir esta publicación de las demás.

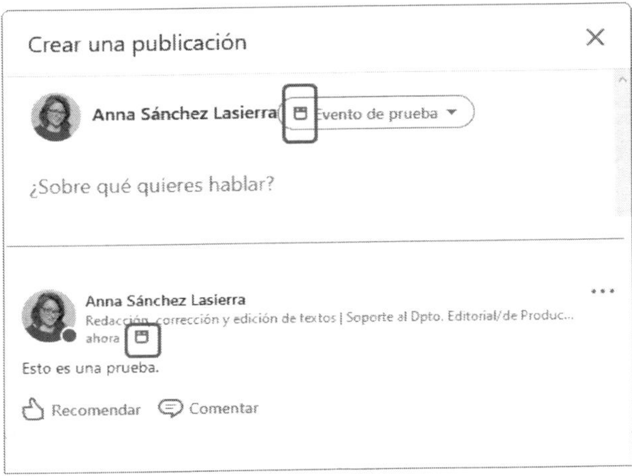

Cuando le invitan a un evento, recibe una notificación. Para verla, vaya a la barra de menús, haga clic en **Mi red** y encontrará la invitación pendiente, parecida a la que podría recibir cuando alguien quiere conectarse con usted.

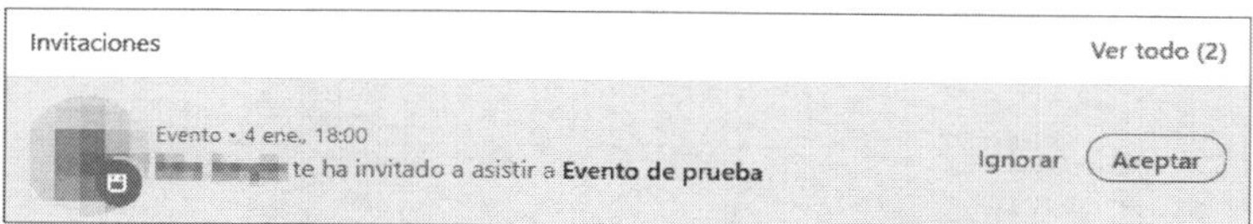

Tenga en cuenta que, aunque cancele el evento, la página se mantiene y no es posible eliminarla. Si ha aceptado la invitación de un evento que se cancela, también puede ir a la página y optar por abandonar el evento para que ya no aparezca en la columna de la izquierda de su página de inicio, que «almacena» todos los eventos a los que asiste y que organiza.

Recibirá una notificación tan pronto como desee cancelar el evento en la que se le indicará que la página permanecerá siempre visible.

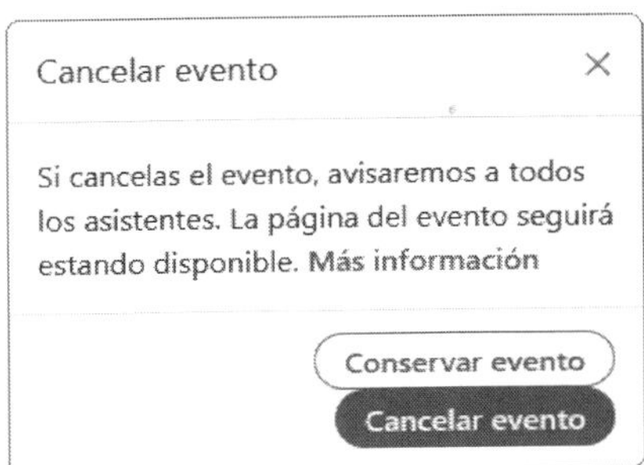

Si el objetivo de un evento es crear encuentros, compartir experiencias y consejos y generar oportunidades, es muy importante que comience a interactuar antes del evento iniciando conversaciones y compilando lo que se diga sobre el tema desde el área específica **Empieza una conversación en este evento**.

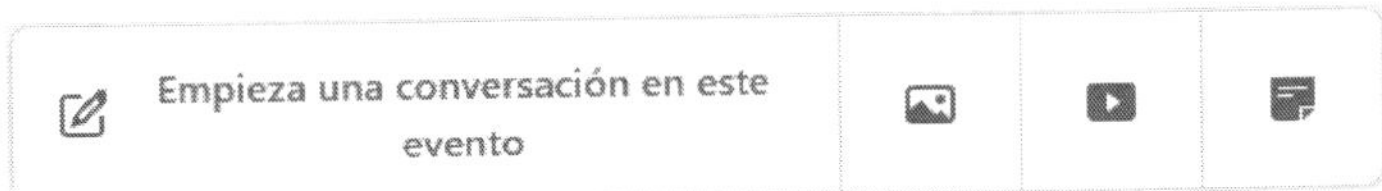

Después del evento, aproveche para compartir fotos o videos, resaltar ideas clave que merecen *feedback* o medir la satisfacción de los asistentes con objeto de mejorar posibles ediciones futuras. Depende de usted maximizar el impacto de su evento mientras aún está fresco en sus mentes.

He aquí algunos ejemplos de textos que le pueden inspirar:

Antes del evento

Estoy encantado de saber que muchos de vosotros deseáis participar en el evento «Mejora tu perfil de LinkedIn» el próximo 15 de marzo. Aprenderéis a resaltar vuestra experiencia y a optimizar cada una de las secciones para que vuestro perfil sea único y memorable. No dudéis en plantear vuestras dudas sobre los problemas que encontréis y las necesidades específicas de vuestra actividad. Además, a todos los que asistáis os he preparado una sorpresa: un invitado especial que vendrá para hablar sobre personal branding. Tened a punto lápiz y papel: seguro que habrá muchas ideas de las que querréis tomar nota.

Después del evento

Ha sido una jornada fantástica y provechosa gracias a todos vosotros. Hemos disfrutado de debates animados que nos han ayudado a desarrollar ideas sobre nuevos comportamientos que todos deberíamos adoptar para favorecer una actitud ecorresponsable y un consumo más respetuoso con el medio ambiente en las empresas. Dejo en vuestras manos la tarea de compartir fotos y de contarme un poco más sobre vuestras impresiones. ¡Gracias nuevamente por vuestra participación!

El buen funcionamiento y el éxito de un evento dependen de una cuidada preparación. Recuerde trabajar en su tema para definir el formato más adecuado, el tiempo que necesita y el material requerido. Le aconsejo que lo pruebe en un grupo pequeño y pida a sus amigos que identifiquen los «tics» en el lenguaje (muletillas) o en los gestos. Cuando dirija un taller, cuide su postura para que sea, ante todo, agradable. ¡Preste atención al espacio que ocupa y a la imagen que da! En cuanto a la elección de lugar, valore diferentes criterios: comodidad, distancia, capacidad, facilidad de acceso, etc. Es mejor anticiparse y prever todos los aspectos para que esté familiarizado con lo que proyecta; de este modo, se sentirá preparado para el día D.

J. Utilizar un código QR

El código QR solo está disponible en la versión móvil de LinkedIn. Vendría a ser una tarjeta de presentación digital que puede compartir fácil y rápidamente con sus contactos. Al escanear su código QR, las personas que conoce son redirigidas directamente a su perfil y ya no necesitan buscarlo de forma manual.

Se trata, pues, de una característica ideal cuando participa en un evento de networking, una conferencia, una reunión, etc., y la libreta de direcciones se ha quedado en el bolso.

También puede ubicarlo en su curriculum vitae, en un folleto, una firma de correo electrónico o incluso un sitio web.

¿Cómo proceder?

- En la barra de búsqueda de su móvil, haga clic en el icono 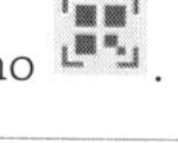.

- Haga clic en el primer botón **Escanear** para escanear el código QR de la persona que está viendo. Será identificada automáticamente y usted podrá enviarle una solicitud de conexión.
- Haga clic en **Mi código** para obtener el suyo, que podrá compartir (por email, sms, Dropbox, redes sociales, etc.) o guardarlo en su galería fotográfica.

K. Convertir el botón Conectar en un botón Seguir

De forma predeterminada, en LinkedIn, el botón **Conectar** está configurado en todos los perfiles. Esto implica recibir solicitudes de conexión de personas que no conoce o que solo buscan hacer crecer su red sin saber quién es usted o sin preocuparse por lo que está haciendo.

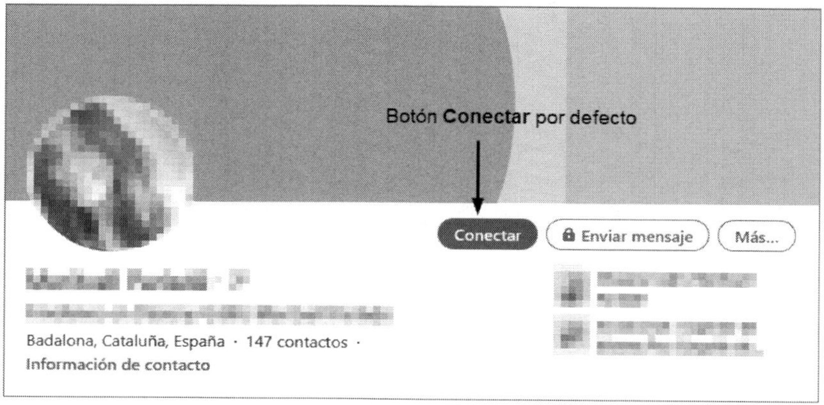

¿Cuáles son las ventajas de permutar al botón **Seguir**?

- Permite que cada uno se tome el tiempo necesario para descubrir su perfil, su personalidad, sus valores a través de sus publicaciones y sus intercambios.
- Llega a una audiencia más amplia y desarrolla su visibilidad, ya que cualquier miembro puede seguirlo cuando quiera sin necesidad de solicitar ser agregado a su red.
- Involucra a una comunidad de fieles que se preocupan genuinamente por su actividad y que se acercarán a usted de manera más honesta para construir una relación.
- Evita las solicitudes de conexión no programadas y que requieren mucho tiempo.

Los miembros que le sigan verán su contenido en su *feed* de noticias, pero, en contraposición, usted no tendrá esta opción. El botón de seguimiento invita a cada uno a reflexionar en la relevancia de una solicitud de contacto. ¡Gracias a él dispone de tiempo para descubrir, para gustar, para invitar!

Para cambiar este botón, en la barra de menús, haga clic en **Yo**, **Configuración y privacidad** y, a continuación, en **Visibilidad** y **Visibilidad de tu actividad en LinkedIn**.

✎ Baje hasta el título **Seguidores** y deslice el cursor **No** hacia **Sí** para activarlo.

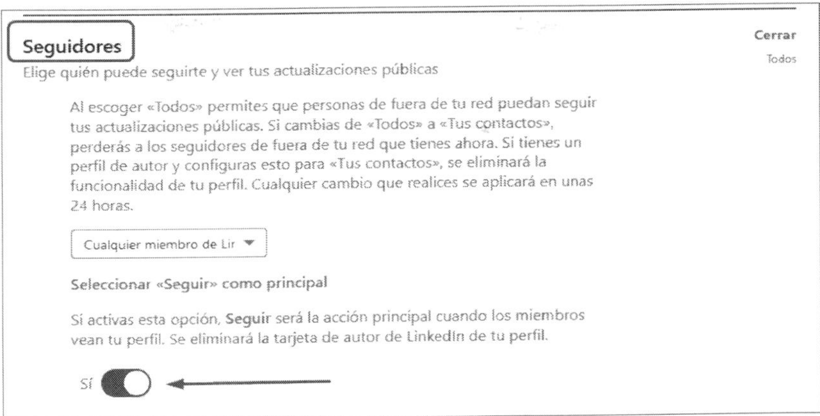

Se colocará en su perfil el botón **Seguir**.

Los miembros que le siguen siempre podrán invitarlo haciendo clic en el botón de los tres puntos (o botón **Más**).

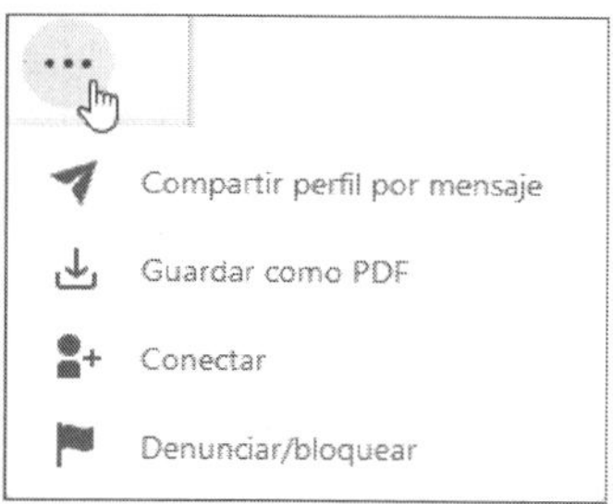

L. Cómo bloquear y denunciar a un contacto

Es posible que deba bloquear o denunciar a un miembro. Desafortunadamente, como ocurre con todas las redes sociales, algunas personas se comportan de manera cuestionable, odiosa u hostil, y LinkedIn no es una excepción.

La opción **Bloquear** evita que la persona vea su perfil y sus noticias; ya no estará conectado con ella y no podrán enviarse mensajes. También pierde sus recomendaciones comunes, si las hay, así como los comentarios en sus publicaciones. No se notifica a la persona que ha sido bloqueada.

Cuando bloquea a una persona y esta le busca, su perfil (el de usted) simplemente ya no existe; se muestra una página en la que se dice que no se han encontrado resultados.

Tome nota:

- Puede bloquear hasta a 1000 miembros en LinkedIn.
- Deberá esperar 48 horas para volver a bloquear a un miembro al que acaba de desbloquear.

Para desbloquear a un miembro, proceda de la siguiente manera:

✎ Haga clic en el menú **Yo**, **Configuración y privacidad**, luego en **Visibilidad**, **Visibilidad de tu perfil y tu red**; en **Bloquear**, puede acceder a la lista de las personas que tiene bloqueadas. Haga clic en el botón **Desbloquear** para que se restablezca la relación.

La opción **Denunciar** se utiliza con los perfiles que se consideran inapropiados, ya sea porque están vacíos o incompletos, son sospechosos, falsos, usurpadores de identidad o bien porque no publican ningún contenido. Esta acción es mucho más grave, ya que su solicitud se envía a LinkedIn, que evalúa la situación y puede eliminar la cuenta de la persona denunciada.

He aquí hay algunos elementos que generalmente se encuentran en perfiles falsos y que pueden ponerle sobre aviso:

- Falta de información real o bien se proporciona información genérica, sin valor ni especificidad, en el extracto y la experiencia.
- Se muestra lo mínimo estricto, a diferencia de los perfiles reales, que ofrecen una combinación de datos personales, como logros, voluntariado, intereses, recomendaciones.
- La foto está retocada, proviene de un banco de imágenes gratuito, usa una pose sugerente, se ha tomado de una personalidad conocida o de una persona muy real (pero que no es ella): los perfiles falsos llegan tan lejos como para crear varios de ellos usando la misma imagen.
- Diplomas obtenidos en escuelas de prestigio, pero el contenido de la experiencia está en total contradicción con la formación universitaria.
- Ninguna actividad, ninguna interacción, ninguna publicación.
- El número de contactos es limitado en comparación con el puesto de trabajo que implica una red ya bien desarrollada (gerente, director, alto representante, CEO).

Recuerde comprobar si tiene una relación común antes de aceptar una solicitud de contacto. En caso de duda, puede escribir el nombre de la persona en Google y ver qué imágenes aparecen o invertir la búsqueda para ver si se muestra el nombre correcto con la imagen y la empresa.

Para bloquear/denunciar, vaya al perfil de la persona. Haga clic en el botón **Más** (al lado del botón **Enviar mensaje**) y, en el menú desplegable, haga clic en **Denunciar/bloquear**.

Se abre una ventana en la que se pide que confirme su elección.

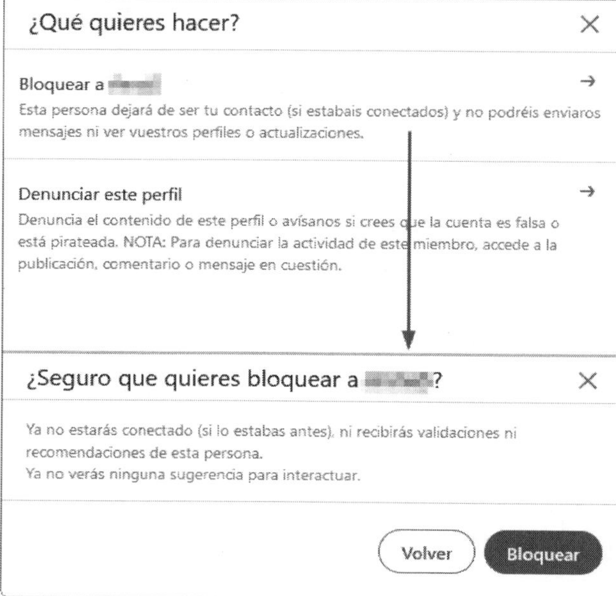

Si elige denunciar el perfil, deberá justificar su demanda.

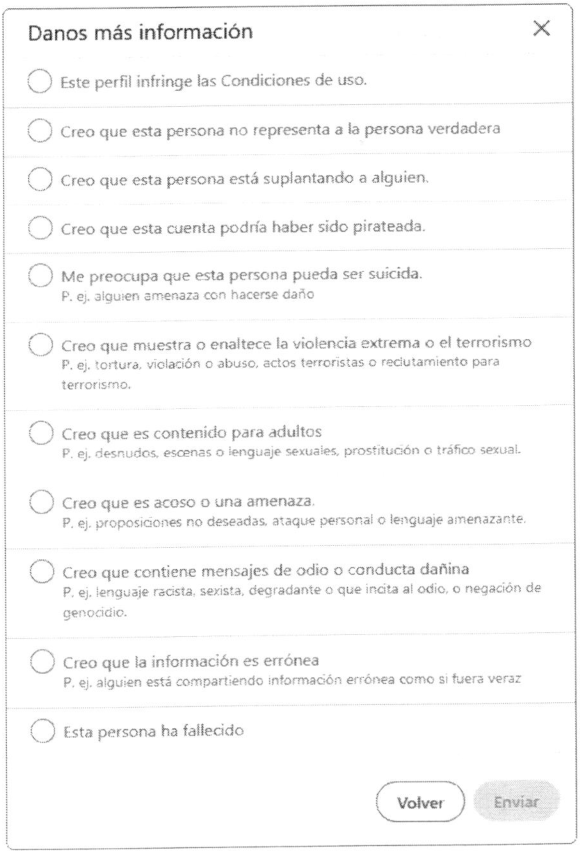

Danos más información

- Este perfil infringe las Condiciones de uso.
- Creo que esta persona no representa a la persona verdadera
- Creo que esta persona está suplantando a alguien.
- Creo que esta cuenta podría haber sido pirateada.
- Me preocupa que esta persona pueda ser suicida.
  P. ej. alguien amenaza con hacerse daño
- Creo que muestra o enaltece la violencia extrema o el terrorismo
  P. ej. tortura, violación o abuso, actos terroristas o reclutamiento para terrorismo.
- Creo que es contenido para adultos
  P. ej. desnudos, escenas o lenguaje sexuales, prostitución o tráfico sexual.
- Creo que es acoso o una amenaza.
  P. ej. proposiciones no deseadas, ataque personal o lenguaje amenazante.
- Creo que contiene mensajes de odio o conducta dañina
  P. ej. lenguaje racista, sexista, degradante o que incita al odio, o negación de genocidio.
- Creo que la información es errónea
  P. ej. alguien está compartiendo información errónea como si fuera veraz
- Esta persona ha fallecido

Volver Enviar

M. ¿Qué tamaño de red?

Hay dos enfoques distintos para la creación de la red.

El primero es estratégico y se centra en la calidad. Las personas que se conectan de esta forma suelen tener entre 500 y 1000 contactos en su red y consiguen mantener una conexión casi personal, o en todo caso de proximidad, con unas 100 a 150 personas. Son capaces de identificar instintivamente quiénes son, qué hacen y están familiarizados con sus últimas noticias.

El otro enfoque se llama «red abierta». Estos usuarios de redes se apoyan en el número de conexiones. Cuantas más personas haya en su red, más fácil será llegar a clientes, posibles clientes y socios, y desarrollar rápidamente su negocio y su visibilidad. El inconveniente, como cabría esperar, es que esta «colección» de relaciones no permite un vínculo estrecho con muchas de ellas.

Además, constatamos en la realidad que generalmente no se dispone de tiempo suficiente para interactuar con el 20 % de la red profesional si está compuesta por más de 500 personas.

Una forma de gestionar los contactos cuando su número empieza a ser elevado puede consistir en crear un archivo de Excel con aquellos con los que se comunica habitualmente, los que han contactado con usted para obtener un presupuesto, los que quizás ahora estén menos presentes, pero con los que mantiene correspondencia desde los inicios, los que le piden un simple consejo, los que conozca en la vida real, etc. En este caso, la idea es anotar un pequeño elemento que le permita retomar una conversación incluso meses después y demostrar que no ha perdido la pista. La mensajería de LinkedIn aún no permite el uso de banderas para efectuar un seguimiento, como sí hacen otras herramientas de mensajería, por lo que es mejor que cree su propio método de recordatorio.

Tan pronto como cruce la barra de 500 conexiones, esta indicación será automáticamente visible en su perfil:

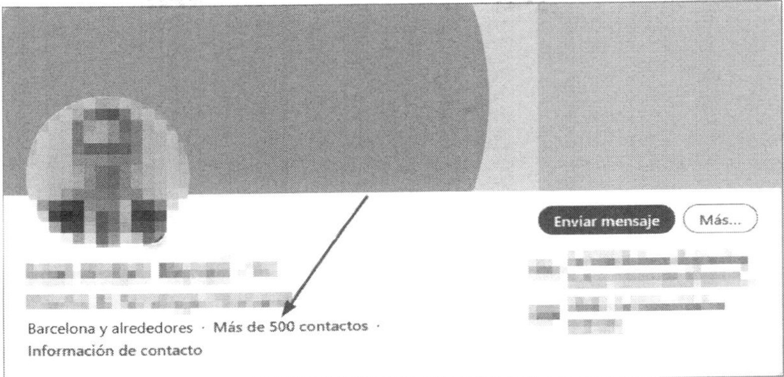

Cuando se alcanzan los 500 contactos, a menudo se afirma que ya se ha entrado en las grandes ligas y que la visibilidad cambia a una velocidad superior. Tenga en cuenta que LinkedIn solo muestra este mínimo de relaciones en su perfil para evitar que los miembros se lancen a un concurso de popularidad; incluso algunos no dudan en indicar el número de contactos en el titular de su perfil.

Superar los 500 contactos presenta tres beneficios principales:

- Credibilidad: basándose en el número de conexiones, aquellos que ven su perfil asumen que usted es un profesional con suficiente autoridad y que está por la labor de ampliar sus contactos; más conexiones significa más contactos para apoyar su aptitudes y reforzar su experiencia. Como sucede con un sitio web, cuantas más conexiones tenga, más tráfico atraerá a su perfil.
- Visibilidad: sus publicaciones son vistas por más personas y es probable que se compartan y se vuelvan a compartir; aparece con más frecuencia en los resultados de búsqueda y optimiza su clasificación. También obtiene más vistas de su perfiles y más invitaciones.
- Oportunidades: con más conexiones, es más probable que llegue a las personas adecuadas o a más personas potencialmente interesadas en sus servicios o experiencia.

Lo que importa sobre todo es cómo preservará la calidad en sus relaciones. Ampliar su red es importante para impulsar su negocio o carrera, pero lo que le convertirá en una persona reconocida en LinkedIn, a quien acudir, es su actitud, cómo mantendrá sus enlaces, y continuar construyendo buenos intercambios incluso con un número creciente de contactos.

Sabe tan bien como yo que interesarse de forma genuina por los demás requiere tiempo, presencia y escucha. Aumentará el número de sus contactos con menos rapidez, pero estos serán más significativos, tendrán más sentido, se acercarán más a lo que quiere transmitir como valores.

Su red es tu fuerza. Nunca olvide cómo comenzó en LinkedIn y a quién le debe el *engagement* en sus publicaciones o el boca a boca que se ha extendido desde entonces alrededor de su nombre/marca.

Es tarea de cada cual hacer crecer su red de acuerdo con sus objetivos, sus deseos, su ritmo. En última instancia, el éxito de una red depende totalmente de usted. Incluso podríamos decir que tenemos la red que nos merecemos. Lo que transmita, la forma como lo transmita, determinará la calidad de lo que recibe. Una red se vuelve más poderosa y cualitativa dependiendo de lo que esté dispuesto a ofrecerle.

N. Conclusión

La construcción de una red requiere una inversión real, pero rodearse de personas para avanzar que, a su vez, le permitan acceder a otras personas para tener éxito es posible con LinkedIn. Publicar contenido le ayuda a construir y mantener relaciones; participar en grupos le abre la puerta a miembros fuera de tu red; completar y perfeccionar su perfil puede generar interés y solicitudes de conexión, etc.

Obviamente, para tener beneficios concretos, es necesario que pula su condición de *networker*. Le invitamos a echar un vistazo a estas seis cualidades que pueden considerarse vitales en LinkedIn para lograr una red que haga que se desmarque con el tiempo:

- Entusiasmo: muéstrese apasionado por lo que hace y sea una fuente de inspiración.
- Escucha activa: haga preguntas a sus contactos sobre sus noticias, interésese por lo que publican, pregúnteles por sus novedades con la mayor frecuencia posible en mensajes privados.
- Generosidad: practique el arte de dar antes de recibir, concéntrese en cómo puede servir a los demás y extienda la mano.
- Fiabilidad: establezca un clima de confianza entre usted y sus contactos a través de sus debates, respete sus compromisos y su autenticidad dentro y fuera de LinkedIn.
- Respeto: prefiera la retórica a la polémica, contribuya sin «contaminar», apague incendios antes de que se prenda el fuego.
- Desde el corazón: intercambie unas pocas palabras espontáneas que gusten y cuiden de forma natural las relaciones, porque en LinkedIn, como en cualquier otro lugar, es bueno destilar unos gramos de «alma gemela».

Capítulo 4
Medir el impacto

A. Introducción

Su perfil de LinkedIn, como ya sabe por estos tres capítulos que hemos compartido, es más que un simple currículum. Cuenta su historia, revela su experiencia, sus competencias, sus aptitudes interpersonales y lo ayuda a afianzar su credibilidad. Utilizado en toda su capacidad, es decir, con una estrategia de comunicación regular y bien establecida, le permite desarrollar su red y generar oportunidades simultáneamente.

Antes de comenzar, recordemos que, en una búsqueda en Google, los perfiles de LinkedIn son los que más se destacan, siempre que estén bien trabajados y completados. Por lo tanto, este perfil es de suma importancia, ya que construye su imagen profesional y la transmite a través de sus intercambios y su presencia en la web y en otros lugares. También es punto de referencia y punto de encuentro para técnicos de selección, clientes –confirmados o posibles– y socios.

De ahí el interés de mejorar constantemente todas sus acciones en LinkedIn: para que su perfil sea ineludible. Es desde esta perspectiva donde la puntuación SSI (*Social Selling Index*) sirve como indicador para medir su efectividad. Se basa en cuatro pilares:

- Construir su imagen personal.
- Encontrar a las personas adecuadas.
- Crear *engagement*.
- Construir relaciones sólidas.

Cada uno de estos cuatro pilares pertenecen a un tema diferente, pero se complementan para formar un todo. Lo ideal es equilibrar este «todo» para lograr la armonía, es decir, el éxito de sus esfuerzos en LinkedIn.

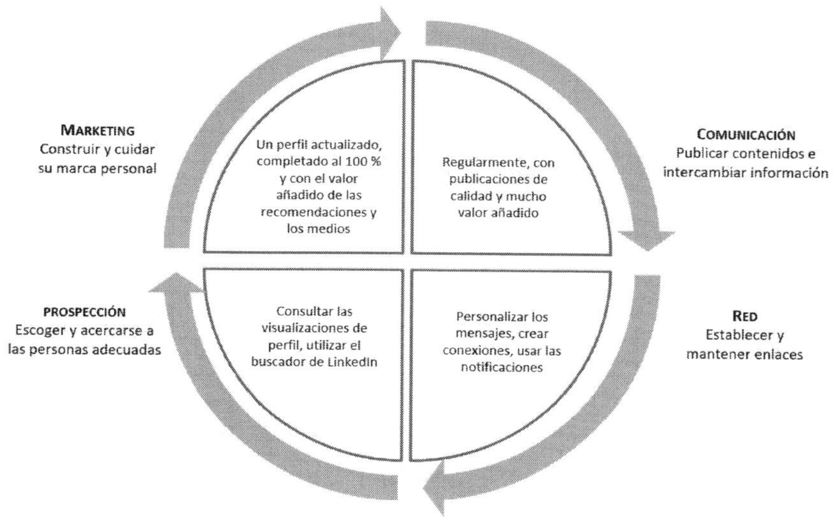

Pero para comprender mejor lo que esto significa, vamos a dedicar algo de tiempo a definir qué es el *social selling* y cómo puede serle útil.

B. ¿Qué es el social selling?

Encontrará una gran cantidad de definiciones sobre el *social selling*, todas ellas con sus propios matices. Podemos tomar, por ejemplo, la de Wikipedia: «El *social selling* es el proceso de desarrollar relaciones como parte del proceso de ventas. Hoy en día, a menudo se lleva a cabo a través de redes sociales, como LinkedIn, Twitter, Facebook y Pinterest, pero puede tener lugar en línea o fuera de línea. Ejemplos de técnicas de *social selling*: compartir contenido relevante, interactuar directamente con potenciales compradores y clientes, marca personal y escucha social. El *social selling* está ganando popularidad en una variedad de sectores, aunque se utiliza principalmente para la venta B2B (empresa a empresa) (traducción del original en inglés).

Preferimos romper con estas diferentes definiciones y compartir nuestra propia experiencia. Para nosotros, el *social selling* es el arte de promover sutilmente la propia experiencia u oferta a través del perfil de LinkedIn y crear interacciones favorables para generar oportunidades y reuniones profesionales.

En nuestra práctica, esto se traduce esencialmente en la publicación de contenido que responde a problemas encontrados por miembros de nuestra red y extraídos de casos concretos experimentados por nuestros clientes.

Llamamos su atención sobre lo que podemos hacer, redactando consejos o recomendaciones aplicables a su situación o sus problemas. Si nuestros artículos o publicaciones encuentran eco en ellos, se complacen en comentar, buscan saber más sobre nuestros servicios y contactan espontáneamente en mensajería privada. De hecho, debe imaginarse sus contenidos como propuestas o invitaciones que comenzarían con «he aquí cómo puedo ayudarte», y no como intrusiones del tipo «esto es lo que vendo». Esto es lo importante en el enfoque del *social selling*: dar a conocer nuestros servicios, sí, pero no con arrogancia ni impertinencia.

Primera idea: la creación de contenido de calidad para promover la participación y la toma de contacto, para apoyar y ampliar su credibilidad.

También nos interesa lo que se dice en los comentarios de nuestras publicaciones, nos tomamos tiempo para responder y aprovechamos para identificar con mayor precisión las expectativas o inquietudes de nuestros suscriptores. Por ejemplo, si vemos que algunas personas tienen dificultades para crear un extracto de perfil de LinkedIn, les planteamos preguntas para comprender mejor qué es lo que les falta y cómo puede serles útil. Tenemos, por lo tanto, información valiosa sobre sus expectativas que nos permite tomar un nuevo impulso y hacerlo con más relevancia; al final, nos convertimos lenta y naturalmente para ellos en una fuente fiable y una referencia sólida en nuestro campo. Recibimos solicitudes de conexión de personas que nos dicen que quieren unirse a nuestra red porque uno de sus contactos les ha dicho que publicamos artículos interesantes y pedagógicos. Piense en sus contenidos como en relevos que se cederán el testigo dentro de su red; publique ideas prácticas y fácilmente transponibles al contexto de sus suscriptores.

Segunda idea: intercambios con su audiencia para desarrollar nuevas ideas de contenido y hacer que su nombre se inscriba progresivamente en el día a día de su red.

Escuchar a los demás aún sigue siendo, para mí, la mejor forma de entender lo que dicen.

Pierre Dac

Pero no nos detenemos en la creación de contenidos, aunque estos contribuyan en gran medida a desarrollar nuestro número de suscriptores; suscriptores que resultan ser los mejores embajadores para recomendarnos dentro de su propia red. Mientras tanto, vamos a su encuentro. Participamos en discusiones sobre su contenido, nos interesamos por sus noticias, los animamos, los felicitamos, compartimos con ellos anécdotas y consejos; buscamos mantener y enriquecer los vínculos establecidos y que se han de establecer. De hecho, nos gusta esta parte, esta vertiente conversacional que crea una cercanía real. Todas estas pequeñas atenciones dan a la relación una dimensión más cálida y amigable.

Tercera idea: interesarse por los demás, generar y alimentar los debates, participar plenamente en la vida de su red.

Consultamos nuestras notificaciones, especialmente «quién ha visto tu perfil», ya que nos parece fundamental para hacer que la propia red avance descubriendo nuevas personas. Una red debe estar viva; nos sentimos responsables de seguir a otros profesionales interesantes para que nuestros propios suscriptores también puedan beneficiarse de contenido original y diferente y de nuevas ideas. Realmente nos importa que todo el mundo pueda tener oportunidades, y es renovando el contenido que nos gusta y las personas a las que seguimos como recargamos toda nuestra red con oportunidades.

Cuarta idea: entender que una red debe renovarse para generar más riqueza y vínculos a través de nuevos perfiles y contenidos, optar por ser solidarios en lugar de solitarios.

Gracias a nuestro perfil, fortalecemos la confianza de nuestros suscriptores, clientes y posibles clientes. Pueden aprender más sobre nuestra historia, nuestros antecedentes, nuestras aptitudes y encontrar toda la información que contribuye a reforzar nuestra *expertise*. Encarnamos nuestra empresa, aportamos valores, habilidades interpersonales y conocimientos que añaden un plus real a nuestros compromisos. Nuestro perfil es un marcador de autenticidad, se parece a nosotros, representa fielmente en la red quiénes somos en la vida real; es la intersección entre lo real y lo virtual.

Quinta idea: un perfil «tranquilizador», que anime a las personas a conocer más sobre usted, alineado con su comunicación y su presencia en LinkedIn.

> *Esta es mi visión del* social selling*: una prospección suave, natural y no intrusiva que descansa sobre una aproximación relacional respetuosa y generosa, donde el tiempo de escucha y observación son esenciales para crear vínculos fuertes, sinceros y duraderos; se apoya en un perfil de LinkedIn que transmite confianza, en la publicación de contenidos relevantes y en conversaciones regulares con mi red, con el objetivo de servir de inspiración y acompañar en sus reflexiones y decisiones. Esta prospección suave genera, al final, más retorno de lo que parece, ya que se centra en los intereses del interlocutor y en su bienestar; este se siente acompañado, en vez de solicitado.*

Todo lo descrito anteriormente participa de nuestra representación del *social selling*. Es una aventura humana donde cada una de sus acciones da sentido a su presencia y la rentabiliza. Estas relaciones de proximidad a las que habrá aportado cuidados y una atención a medida se convertirán en resultados concretos: solicitudes de conexiones cualificadas más numerosas, reuniones exitosas, recomendaciones, visitas de perfil, boca a boca, etc.

El *social selling* es la unión sagrada de sus áreas de experiencia y su personalidad para forjar vínculos duraderos y francos, aumentar el valor de sus servicios y asegurar el recorrido que conduce a sus futuros clientes hasta usted mediante la distribución de valor, generosidad y utilidad.

El *social selling* le concierne en el momento en que su objetivo es dar a conocer su actividad, llegar a las personas adecuadas para impulsar su carrera y mejorar su visibilidad. Y es precisamente su perfil el punto de ancla que desencadenará la adhesión y la participación.

C. Su perfil, su marca personal

Su perfil de LinkedIn es una tarjeta de presentación que permite que sus contactos le conozcan mejor. Debe estar cuidado, presentar información clara y relevante que reafirme sus áreas de experiencia y revele su personalidad. Sobre todo, debe dejar una impresión fuerte y positiva, ya que se convertirá en el embajador de su marca personal y el vector de su imagen profesional.

Su marca personal es simplemente la idea clara, fuerte y positiva que les viene inmediatamente a la cabeza a las personas que le conocen cuando piensan en usted.

Peter Montoya

Por lo tanto, es necesario completarlo y optimizarlo con un banner personalizado, una foto, que inspire confianza; un titular de trabajo preciso; un extracto que explique claramente su oferta y lo distinga de sus competidores; experiencia detallada; aptitudes reconocidas en su sector, recomendaciones de sus clientes o colaboradores, y medios que den más valor a sus logros, servicios o productos. Al final, cada sección cuenta porque muestra un fragmento de su viaje, destaca una habilidad o un éxito y le permite ganarse la confianza de su red profesional.

Sin mencionar que el algoritmo de LinkedIn tiene en cuenta la exhaustividad de su perfil para determinar su puntuación de *social selling index* (SSI) y que sus clientes o potenciales clientes también necesitan estar seguros de qué lo que ofrece. Por todo ello, debe conseguir que se muestre su mejor perfil haciéndolo atractivo y único.

D. Su comunicación, su as en la manga para seducir

La creación de contenido es el combustible esencial de un proceso de *social selling*. Para imponerse como una apuesta segura, fomentar la interacción y el *engagement*, es esencial que sus publicaciones brinden a sus clientes –posibles y confirmados– información útil, que los ayudará a clarificarse e influirá en sus elecciones y decisiones. Por un lado, reforzará su legitimidad y, por otro, se consolidará como un referente en tu sector. También conseguirá más visualizaciones de su perfil porque habrá convencido a sus lectores y los habrá animado a saber más sobre usted.

¿De qué género?

- Los denominados contenidos de terceros, como artículos de la Web que difunde y que demuestran que vigila regularmente los temas relacionados con los intereses de su público objetivo y de su mercado.
- Contenido al estilo *storytelling*: sabe cómo utilizar la narración para hablar hábilmente sobre usted y su actividad mientras orienta sutilmente su historia a las necesidades de su público objetivo; por ejemplo, puede presentar una situación extraída de su experiencia con el caso de un cliente, una buena práctica para adoptar, un evento que le ha marcado, su trabajo entre bastidores, etc.

  Por ejemplo:

  ¡Hoy, nueva misión de acompañamiento a un cliente para optimizar su visibilidad en LinkedIn!

  ¿Qué vamos a hacer juntos?

  => Trabaja en tu perfil

  => Desarrolla tu estrategia de comunicación

  => Mejora tu presencia en la red

  ¿Por qué es importante todo esto?

  Trabajar en tu imagen de marca te permite...

  Y tú, ¿qué acciones estás llevando a cabo para mejorar el tuyo?

Este tipo de publicación es muy apreciada porque permite a los lectores identificarse con su historia, con su testimonio, y participar naturalmente en la discusión. La idea es conectar con la vida diaria de su público objetivo y darle ideas o perspectivas.

Cuando se trata de comunicación, no olvide que la emoción es una verdadera palanca para el *engagement* y la persuasión, tal y como hemos visto en el segundo capítulo de este libro. Sírvase de sus valores, sus pasiones, sus cualidades y dé un escenario a su mensaje para que despierte los sentidos de su público y deje en ellos un recuerdo especial.

- Los llamados contenidos pedagógicos: comparta casos prácticos, artículos profundos y útiles relacionados con los problemas y las preguntas de sus clientes, reales o potenciales.

Tiene el poder de atraer y de convertir visitantes a través de sus publicaciones, lo que, complementado con sus *newletters* o correos electrónicos de prospección, le otorga una ventaja considerable sobre sus competidores. De hecho, sus publicaciones están indexadas en el motor de búsqueda de LinkedIn, permanecen visibles en su perfil, aparecen en los *feeds* de sus contactos, se pueden volver a compartir (lo que amplifica su alcance) y animan a las personas a seguirlo a usted.

Por lo tanto, el contenido es particularmente importante en una estrategia de *social selling*, ya que sirve para respaldar sus argumentos, reafirmar su seriedad y sembrar las semillas. Aquí, nuevamente, la regularidad es esencial; será cuando estas semillas germinen en la mente de sus potenciales clientes cuando ellos vean que usted es LA persona adecuada para ayudarlos. Y, en el momento en que esto suceda, usted será el que gozará de la mejor posición para recoger la cosecha.

Recuerde establecer una línea editorial precisa e intentar variar los formatos (textos, elementos visuales, infografías, libros blancos, reseñas, vídeos, podcasts, etc.) para seguir despertando el interés de su audiencia.

LinkedIn aboga por un plan táctico de acuerdo con la regla 4:1:1 (https://business.linkedin.com/sales-solutions/blog/proof-month/2017/introducing-a-tactical-plan-for-social-sell-on-linkedin-eboo) para aquellos que tienen que dedicar mucho tiempo a la prospección (equipos de ventas en particular) y que ya no disponen del suficiente para crear su propio contenido. Esta regla es fácil de aplicar y distribuye las publicaciones a un ritmo semanal de la siguiente manera:

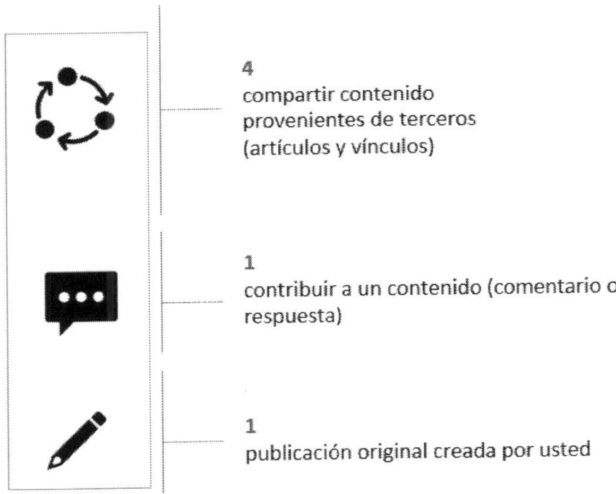

E. Una historia de *social selling*

He aquí una historia muy simple que le muestra cómo se puede traducir el *social selling*. Comprenderá fácilmente que la publicación de contenido de calidad, combinado con su sentido de la observación y la escucha, hará que su enfoque de prospección sea más convincente. Evidentemente, hay que tener paciencia, invitar en vez de empujar, incitar en vez de coaccionar, interpelar en vez de bombardear.

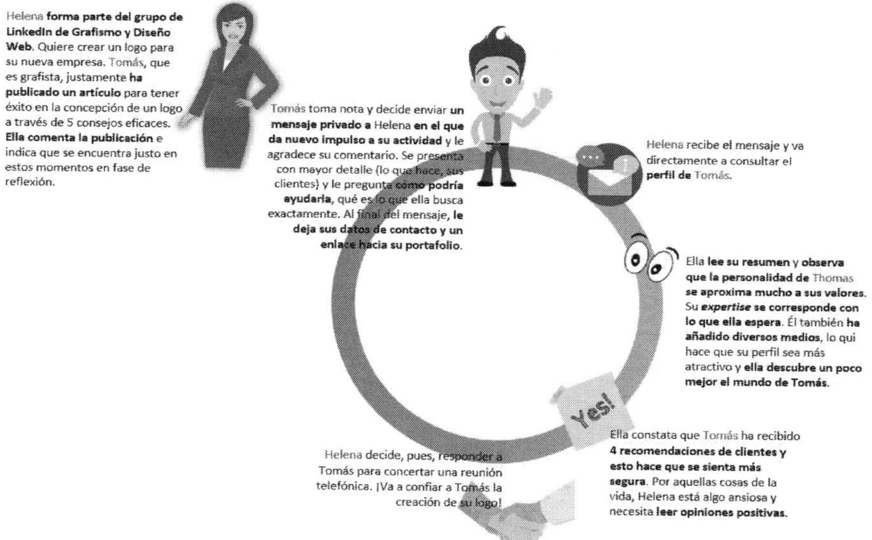

Una buena parte del *social selling* consiste en estar disponible y tener la voluntad de aprender siempre más sobre sus contactos. Es este pequeño «suplemento de alma» el que marcará la diferencia en sus intercambios, en comparación con sus competidores.

F. Su red, una potencia excepcional

La red es su fuerza; lo hemos mencionado muchas veces a lo largo de este libro. Una fuerza se trabaja, requiere mantenimiento. Como en un músculo, no es la cantidad lo que cuenta, sino la calidad. La calidad de sus acciones, la calidad de sus interacciones. Un preparador físico le diría a un deportista que adopte buenos hábitos para mantenerse en forma, incrementar su fuerza y sacarle partido. Y lo mismo ocurre con el *social seller*.

Por lo tanto, ahora tiene que establecer un programa de entrenamiento regular que respalde sus objetivos. He aquí algunas rutinas útiles y probadas en LinkedIn:

1. Tómese unos minutos al día para construir una relación de calidad con uno o dos posibles clientes de alto potencial.
2. Establezca un número de invitaciones personalizadas para enviar cada semana.
3. Proponga conexiones entre personas para reforzar su papel de intermediario y contribuidor.
4. Participe activamente en las discusiones en el seno de los grupos y comparta sus propios contenidos para reforzar su presencia e identificar oportunidades.
5. Mantenga el vínculo con los miembros de su red comprobando sus notificaciones (nuevas publicaciones, promociones, obtenciones de diplomas, aniversarios, etc.).
6. Consulte su *feed* de noticias, identifique el contenido que quiere recomendar y comente para mostrar su interés y añadir su punto de vista a los debates.
7. Valide las aptitudes de sus compañeros, colegas, socios, proveedores, clientes y ofrézcase a redactar recomendaciones.
8. Ofrezca su ayuda a cada nuevo contacto o a cualquier persona de su red que podría necesitarla en el contexto de su actividad, de un proyecto o de su carrera.
9. Lea los perfiles con atención para identificar puntos en común o aspectos destacados que podría utilizar para afianzar una relación.

Le recomiendo encarecidamente que se interese por las visualizaciones de su perfil y las sugerencias de LinkedIn para crear nuevos enlaces y desarrollar su red. LinkedIn le notifica en una zona específica, ubicada en la columna de la derecha, quién ha visto su perfil. *El número de visitas al perfil es importante; cuanto más se vea su perfil, ¡más aumenta la probabilidad de que contacten con usted para ofrecerle una oportunidad!*

De igual modo, aprenda a utilizar filtros con el objetivo de apuntar y llegar a personas relevantes para su ascenso y de crear alertas en perfiles específicos.

G. Las cualidades de un social seller

¿Qué es un BUEN vendedor social? Es ante todo una persona generosa, que quiere hacer que las cosas avancen y añadir ese toque personal e irresistible. Es una persona que entiende plenamente que una relación solo tiene sentido si de verdad nos interesamos por el otro, si damos antes de recibir, si ofrecemos antes de pedir.

Un VERDADERO *social seller* es un actor, pero no se compone de un papel, sino de la voluntad de crear valor. Se involucra, actúa; une, y lo hace usando el corazón. Se le quiere por su calidez, su optimismo, su empatía. Es una fuerza impulsora para los demás, un temperamento, un ejemplo inspirador.

A continuación presentamos las siete cualidades que consideramos absolutamente imprescindibles en el perfil del *social seller*.

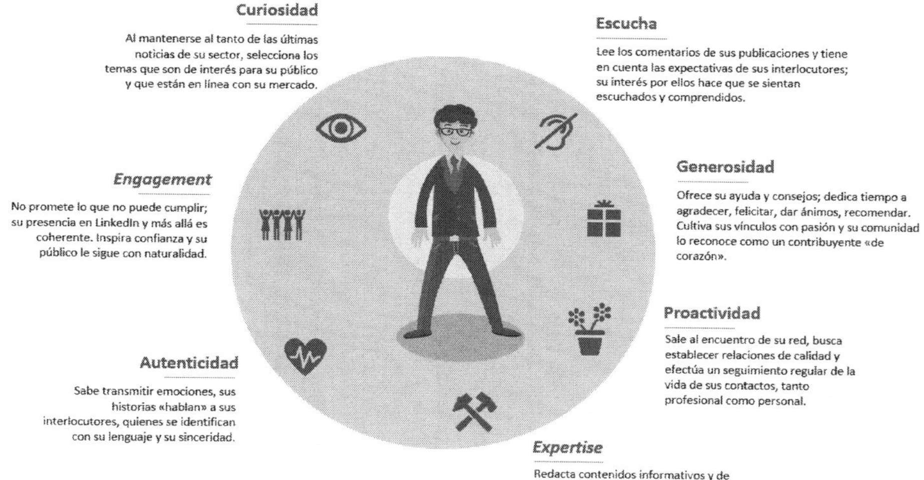

H. Personalizar la prospección

Tarde o temprano, la prospección le será útil para desarrollar su negocio. Sin embargo, pocos miembros se toman el tiempo para cuidar su enfoque. La gran mayoría de los mensajes promocionales suelen estar automatizados y no satisfacen sus necesidades o su negocio en absoluto. De ahí que susciten desconfianza y desinterés total. Este es el *quid* de la cuestión: ¿cómo volverse creíble?

Demuestre a su interlocutor que él no es una persona más, que es importante, especial, único. Al personalizar su argumentario, comprenderá que no se trata de un mensaje estándar que usted envía a todo el mundo. Por el contrario, tenderá a pensar que usted se ha tomado el tiempo de escribirle personalmente; así obtendrá más de respuestas positivas.

Le recomiendo encarecidamente que lea el perfil del miembro al que se dirige y consulte su actividad, intereses, grupos, etc., con el fin de establecer un punto de conexión que resulte útil para la autenticidad y la calidad de su mensaje de aproximación. Puede crear una plantilla estándar, pero recuerde siempre personalizarla y adaptarla caso por caso.

¿Cómo se crea un mensaje de prospección persuasivo?

Le proponemos una plantilla con 10 puntos para que le sirva de inspiración:

1. **Una línea de asunto**
   Para captar la atención y convencer a su objetivo de que le lea
2. **El nombre de pila de la persona**
   Para demostrar que su texto está específicamente destinado a él
3. **El punto en común**
   Lo que comparte con su destinatario: un grupo, un interés común (que encontrará en su perfil, por ejemplo), conocimiento, un intercambio sobre una publicación reciente para reforzar su credibilidad y establecer un clima de confianza
4. **La observación**
   Algo que ha observado en la actividad de su objetivo, un elemento que prueba que ya lo conoce un poco

5. **El regalo**

   Un libro blanco, una guía, un folleto, un vínculo a un artículo, un consejo, etc., que prueban su voluntad de ayudar y que añaden valor desde el principio

6. **Presentación**

   Como si se tratase de una conversación cara a cara, debe decir quién es usted y cuál es su empresa

7. **El argumento**

   Las necesidades que satisface en relación con las de su objetivo

8. **El interés**

   Muestre su curiosidad por conocer su situación

9. **La pregunta**

   Para dar continuidad a la conversación

10. **La fórmula mágica**

    El «gracias» que sigue a la propuesta de desarrollar el intercambio por teléfono

Recuerde que el propósito de un mensaje es iniciar un diálogo, no concluir un acuerdo (o una venta), así que manténgase enfocado en los intereses de su interlocutor. No olvide insertar sus datos de contacto al final del mensaje.

No se extienda demasiado; elija la información imprescindible para que el lector no pierda su interés y abandone la lectura de su mensaje.

Concretando, tenemos algo como esto:

Mensaje	
¿Cómo optimizar tu comunicación? (1)	La línea de asunto
Buenos días, Laura: (2)	La fórmula de llamada personalizada
Las dos formamos parte del grupo de Marketing (3) en LinkedIn.	El punto en común
Después de ver que **has recomendado** (4) una de mis publicaciones en la que trataba el tema de la importancia de redactar contenidos de nivel experto, he pensado que quizás esta **infografía** (5) que he creado yo misma podría ser de tu interés. Presenta 5 elementos esenciales para ampliar tu audiencia y llegar a más clientes potenciales de calidad gracias al marketing digital.	La observación / El regalo
He creado **Link4U, que es el nombre de mi empresa, especializada en comunicación digital** (6). Redacto para mis clientes (principalmente empresas pequeñas del sector de la innovación) **publicaciones tecnológicas a medida: e-books, libros blancos, tutoriales**, etc., que les permiten conseguir **más suscriptores a sus páginas y mayor visibilidad** (7).	La presentación / El argumento
Me gustaría saber si planeas hacer que tu estrategia de comunicación avance (8) hacia publicaciones de este tipo **y si tienes alguna duda en relación con este tema** (9).	El interés / La pregunta
Muchas gracias por tu atención, Laura, y no dudes en **contactar conmigo directamente por teléfono** si lo crees oportuno. (10)	La fórmula mágica
Que tengas un buen día/Cordialmente.	La fórmula de cortesía
Marina Rogard **Sitio web** **Tel**	Los datos

Cuanto más afine su enfoque sin perder delicadeza, más probabilidades tendrá de que lo vean como un socio. El *social selling* consiste en posicionarle como el mejor asesor en su campo, por lo que es fundamental escuchar, leer y entender lo que le dicen los miembros de su red.

I. Los cuatro pilares fundamentales del *social selling* establecidos por LinkedIn

1. **Imponga su marca profesional**: demuestre que tiene suficiente autoridad haciendo atractivo su perfil e imponiendo una imagen de experto en su campo. Para ello, deberá haber completado todas las secciones de su perfil (en particular, la foto, el titular, el extracto, su experiencia y otros elementos multimedia que destaquen sus logros); mostrará recomendaciones y la lista de aptitudes que convencerán a los clientes potenciales de reclamar sus servicios.
2. **Identifique a las personas adecuadas**: utilice el buscador de LinkedIn y sus diversos filtros para encontrar nuevos clientes potenciales; revise sus contactos para que le presenten a nuevas personas (nivel 2 y 3); adhiérase a grupos, etiquete, guarde y siga *leads* específicos (versión Sales Navigator) y recuerde mirar el módulo **Quién ha visto tu perfil** para contactar a personas relevantes.
3. **Intercambie información**: comparta contenidos útiles y pedagógicos que refuercen su legitimidad en su sector y le conviertan en ineludible; realice un seguimiento de las noticias y permanezca atento a lo que se publica para compartir artículos de la Web que se correspondan con los intereses de su público objetivo. No dude en comentar las publicaciones de los demás y aportar respuestas o consejos para crear nuevas conversaciones.
4. **Construya relaciones**: conéctese con otros miembros y entable un diálogo regular con ellos para desarrollar una relación de confianza y alimentar sus vínculos; identifique y mantenga un ojo puesto sobre quienes toman las decisiones y gerentes; utilice la función TeamLink (versión Sales Navigator) para llegar a clientes potenciales que no están conectados con usted, pero sí con otras personas de su empresa; ofrezca reuniones físicas para prolongar los enlaces establecidos.

Para establecer un programa dedicado a los equipos de ventas, descargue la guía que puede obtener en:
https://business.linkedin.com/sales-solutions/b2b-sales-lead-generation/the-sales-managers-guide-ebook

J. Su cuadro de mando SSI

Esta puntuación (hay quien prefiere llamarla «barómetro de progresión») se calcula sobre 100 puntos; cada componente cuenta sobre 25 puntos. Para obtener el suyo, vaya a la página específica de LinkedIn https://business.linkedin.com/sales-solutions/social-selling/the-social-selling-index-ssi

El objetivo del *social selling index* de LinkedIn es el de ayudarle a optimizar su presencia en relación con su público objetivo y poner en marcha acciones en aquellas áreas en las que es menos ducho.

¿Cómo se presenta?

Un cuadro de mando presenta su desempeño en cada una de las cuatro acciones clave vinculadas al *social selling*. La información se presenta de forma similar a lo que muestra la siguiente captura:

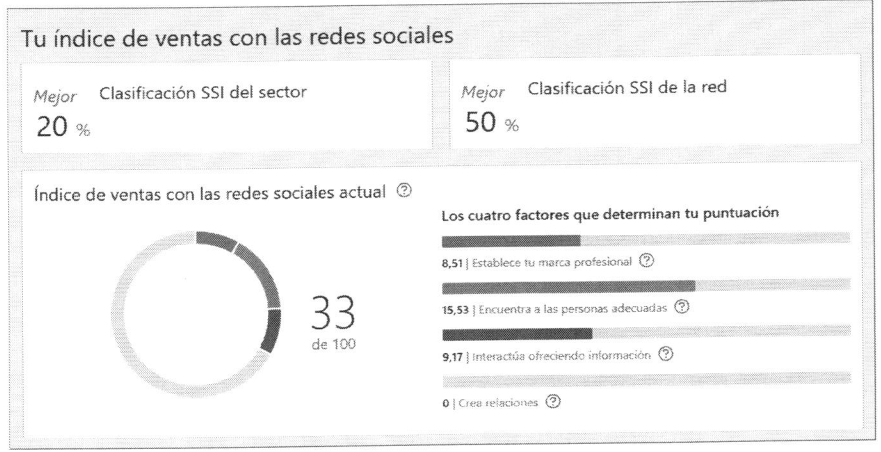

Un análisis indica su SSI medio según:

- Su sector de actividad (tal y como lo ha indicado en su perfil; asegúrese, por lo tanto, de que sea coherente).
- Su red (es decir, sus relaciones de primer y segundo nivel).

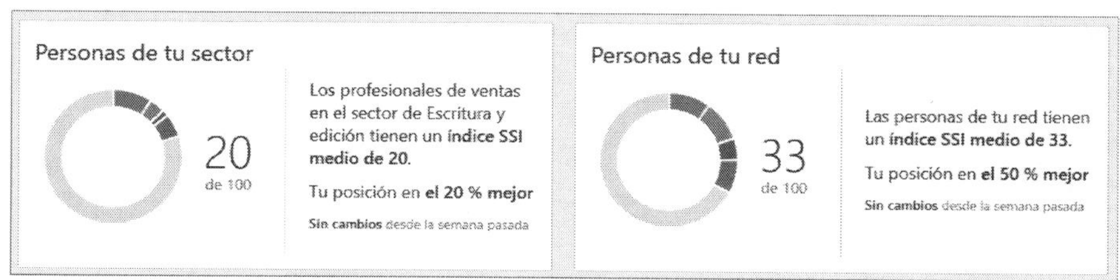

Una vez más, recuerde completar su perfil al 100 %, principalmente este encabezado: el banner, la foto, el titular, el extracto –que sirve como punto de partida–, y luego asegúrese de que el contenido de su perfil incluye todo lo que puede dar seguridad a sus clientes en relación con su *expertise*: experiencia, recomendaciones, aptitudes, etc.

K. Conclusión

Esta puntuación SSI no debe inducirle a pensar que no sabe cómo hacerlo, ya que tiene como objetivo precisamente ayudarle a hacerlo mejor. Se necesita tiempo para familiarizarse con LinkedIn, generar *engagement* con sus publicaciones y ganarse la confianza de toda una red. Un *social seller* no se improvisa de la noche a la mañana. ¡Siga esforzándose, inténtelo y vuelva a intentarlo!

LinkedIn indica que una persona con un SSI de más de 70 puntos, en comparación con otra de menos de 30 puntos, obtiene el doble de nuevos clientes, citas garantizadas y oportunidades generadas directamente desde la plataforma de LinkedIn (https://www.linkedin.com/business/sales/blog/modern-selling/the-science-of-social-selling).

Esta puntuación se calcula semanalmente, lo que significa que su actividad puede variar de una jornada a otra. Lo ideal sería invertir 30 minutos al día para mantener un nivel interesante.

Recordemos que su perfil de LinkedIn es LA base, la esencia misma de todo lo que va a emprender y que apoyará su estrategia de *social selling*.

Echemos un vistazo a lo que esto implica y que creemos que es importante recordar:

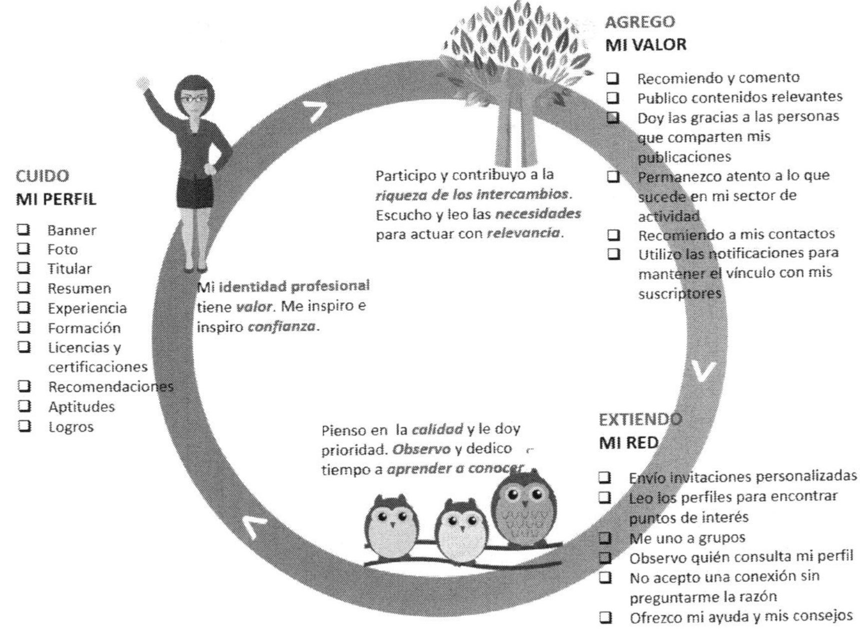

Dado que este capítulo finaliza, presentaremos el caso de uno de nuestros clientes. Tenía un perfil de LinkedIn promedio, un fondo azul y un texto de presentación promedio que no lo hacía realmente atractivo o interesante.

Después de poner en palabras e imágenes lo que de verdad valía (tenía un perfil profesional que respaldaba su legitimidad), se sintió lo suficientemente cómodo como para comenzar a lanzar sus propias publicaciones y aportar su punto de vista sobre el contenido de las de los demás. Poco a poco, su red siguió creciendo; ya no tenía que buscar contactos sistemáticamente, sino que dejaba que le llegaran de forma natural.

Un perfil de calidad marca la diferencia; hace que le entren ganas de comunicarse y da credibilidad a su *expertise* con sus clientes reales o potenciales. Tiene el poder de infundir confianza, involucrar y fidelizar a sus contactos.

Recuerde que nada puede reemplazar la interacción real que tiene lugar alrededor de un café o al escuchar una voz amigable en el teléfono. El *social selling* le ayuda a preparar el terreno para estas futuras reuniones físicas y oportunidades profesionales.

¡Buena suerte en LinkedIn y esperamos que tengas tantas aventuras fantásticas como nosotros!

A

B

C

G

H

I

L

M

N

O

P

R

S

T

V

VISUALIZACIONES